小児科外来や乳幼児健診で使える

食と栄養相談 Q&A

改訂第2版

監修 平岩幹男 Rabbit Developmental Research
編集 大矢幸弘 国立成育医療研究センターアレルギーセンター
　　 堤ちはる 相模女子大学栄養科学部健康栄養学科
　　 渡部　茂 明海大学保健医療学部口腔保健学科

監修の序

　本書の第1版が出てから6年余りの日々が流れました．口に関することをテーマとして本を作ってみようという話から，口腔や歯の問題，食習慣などを含む栄養の問題，そして当時から大きなテーマであった食物アレルギーについてまとめて上梓しました．お忙しいなかで快く執筆にご協力いただいた先生方に，まず心より感謝の意を表します．

　それが本書を上梓するきっかけの1つではあったのですが，小児科の日常の外来診療のなかで，口や食べ物についての保護者からの質問は予想しているよりもずっと多いと感じています．しかし，咄嗟には答えがでてこなかったり，そもそも考えたこともないような質問がでてきたりすることもあります．もちろん小児科の外来診療は，特に乳幼児を対象としているときには保護者との会話的応答が実際の診察と並んで大きな比重を占めていますので，こうした質問に適切に答えることは，保護者との関係性を向上させるうえでも役立つと考えられます．

　それからの月日の流れの中で，口腔衛生や歯の保健についても歯の萌出や食べ方の問題，栄養については2019年の「授乳・離乳の支援ガイド」の大幅改定により，食物アレルギー予防の観点が大幅に取り入れられたこと，さらには東日本大震災のときには使えなかったので問題化した液状ミルクが市販されたこと，先天性代謝異常への対応であった特殊ミルクがそれ以外の病態にも用いられるようになったこと，食物アレルギーについても検査法や診断，予防，治療に関するエビデンスが積み重ねられ，全国どこでも標準的な対応が受けられるようになりつつあります．

　最近の進歩も含めて項目も増やしましたし，従来からの項目についても最近の知見を入れていただくようにお願いしました．本書が少しでも子どもたちの生活に寄与できることを願っております．

2022年12月
平岩　幹男

執筆者一覧

監修

平岩　幹男　　Rabbit Developmental Research

編集（五十音順）

大矢　幸弘　　国立成育医療研究センターアレルギーセンター
堤　　ちはる　相模女子大学栄養科学部健康栄養学科
渡部　　茂　　明海大学保健医療学部口腔保健学科

執筆者（五十音順）

飯沼　光生　　朝日大学歯学部小児歯科
伊藤　浩明　　あいち小児保健医療総合センターアレルギー科
井上　美津子　昭和大学歯学部小児成育歯科学講座
岩本　　勉　　東京医科歯科大学大学院医歯学総合研究科小児歯科学・
　　　　　　　障害者歯科学分野
太田　百合子　東洋大学ライフデザイン学部
大矢　幸弘　　国立成育医療研究センターアレルギーセンター
齋藤　　幹　　東北大学病院歯科診療部門口腔育成系診療科小児歯科
齊藤　正人　　北海道医療大学歯学部口腔構造・機能発育学系小児歯科学分野
佐藤　未織　　国立成育医療研究センターアレルギーセンター
三分一　恵里　明海大学保健医療学部口腔保健学科
島村　和宏　　奥羽大学歯学部成長発育歯学講座小児歯科学分野
関口　五郎　　東京都立心身障害者口腔保健センター
髙橋　康男　　埼玉県立小児医療センター小児歯科
田中　英一　　田中歯科クリニック
堤　　ちはる　相模女子大学栄養科学部健康栄養学科
中野　美樹　　国立病院機構小諸高原病院栄養管理室
中村　公俊　　熊本大学大学院生命科学研究部小児科学講座
夏目　　統　　浜松医科大学小児科

成田　雅美	杏林大学医学部小児科学教室	
西村　瑠美	広島大学大学院医系科学研究科口腔保健疫学研究室	
長谷川 実穂	昭和大学医学部小児科学講座	
平岩　幹男	Rabbit Developmental Research	
福家　辰樹	国立成育医療研究センターアレルギーセンター 総合アレルギー科	
福田　敦史	北海道医療大学歯学部	
福本　敏	東北大学大学院歯学研究科口腔保健発育学講座 小児発達歯科学分野	
二村　昌樹	国立病院機構名古屋医療センター小児科	
堀向　健太	東京慈恵会医科大学葛飾医療センター小児科	
松尾　嘉人	あいち小児保健医療総合センターアレルギー科	
丸山 進一郎	アリスバンビーニ小児歯科	
宮新 美智世	はなここどもの歯のクリニック	
森田 久美子	東京都立小児総合医療センターアレルギー科	
山本 貴和子	国立成育医療研究センターアレルギーセンター	
吉田　幸一	東京都立小児総合医療センターアレルギー科	
渡辺　幸嗣	九州歯科大学歯学部健康増進学講座口腔機能発達学分野	
渡部　茂	明海大学保健医療学部口腔保健学科	

目次

監修の序 ————————————————————————————————— iii
執筆者一覧 ———————————————————————————————— iv

妊娠期

●栄養

- **Q1** つわりがひどくて何も食べられませんが，空腹になるとさらに気分が悪くなります．どうすればよいですか？ ———————— 2
- **Q2** 妊娠中の栄養状態は，子どもの将来の健康にどのように影響しますか？ ———— 3
- **Q3** 妊娠中の体重増加はどのくらいがよいですか？ ———————————————— 4
- **Q4** 妊娠中の貧血予防にはどのような食事がよいですか？ ——————————— 5
- **Q5** 葉酸のサプリメントはどのような効果がありますか？ ——————————— 7
- **Q6** 妊娠前から肥満の場合，どのような影響がありますか？食生活ではどのような注意が必要ですか？ ——————————————— 8
- **Q7** 妊娠高血圧症候群とはどのようなものですか？食生活ではどのような注意が必要ですか？ ———————————————————— 10
- **Q8** 妊娠糖尿病とはどのようなものですか？食生活ではどのような注意が必要ですか？ ———————————————————————— 11

●アレルギー

- **Q9** 妊娠中に，子どものアレルギー発症予防のためにできることはありますか？ ——— 12
- **Q10** アレルギー疾患がある母親の妊娠期の食物除去は有効ですか？ ———————— 13

●歯科

- **Q11** 妊娠中の母親の歯や口の健康状態は，子どもにどのように影響しますか？ ———— 14
- **Q12** 妊娠中にクリーニングや歯科治療をしてもよいですか？ ——————————— 15
- **Q13** 味覚はどのように発達するのでしょうか？味覚のために気をつけることはありますか？ ———————————————————— 16
- **Q14** 妊娠中につわりや体調不良でどうしても歯磨きができないときは，どうしたらよいですか？ ———————————————————— 17
- **Q15** 丈夫な歯を作るために，栄養などで気をつけたほうがよいことはありますか？ ———— 18

0〜4か月（新生児〜乳児早期）

●栄養

- **Q16** 子どもが泣くたびに，母乳やミルクを与えてよいですか？授乳時刻やミルクならば量も決めたほうがよいですか？ ———————————— 20
- **Q17** 母乳育児のメリットは何ですか？ ————————————————————— 21
- **Q18** 就労しながら母乳育児を続けるには，どうすればよいですか？ ———————— 22

- Q19 完全母乳栄養児ですが，体重があまり増えません．ミルクを追加する判断はどうすればよいですか？ ——— 23
- Q20 完全母乳栄養児ですが，標準体重を上回ってきています．授乳回数を減らしたほうがよいですか？ ——— 24
- Q21 液体ミルクとはどのようなものですか？ 粉ミルクとの違いは何ですか？ ——— 25
- Q22 特殊ミルクとはどのようなものですか？ 使用に際して気をつけることはありますか？ ——— 26

● アレルギー
- Q23 新生児や乳児の消化管アレルギーとはどのようなものですか？ ——— 27
- Q24 ミルクで下痢をしています．アレルギー用ミルクに変えたほうがよいですか？ ——— 28
- Q25 アレルギー用ミルクを使用すると，アレルギー発症を予防できますか？ ——— 29
- Q26 アレルギー疾患がある母親の場合，授乳期の栄養面で注意することはありますか？ ——— 31
- Q27 母乳栄養中の除去食は必要ですか？ どのように行いますか？ ——— 32

● 歯科
- Q28 魔歯（先天歯）が生えていますが，処置が必要ですか？ ——— 33
- Q29 舌小帯が短くて母乳が飲みにくそうです．切除したほうがよいですか？ また成長後の咀嚼や発音への影響はありますか？ ——— 34

5〜11か月（乳児中期〜後期）

● 栄養
- Q30 離乳食の開始前に，準備したり気をつけておくことはありますか？ ——— 38
- Q31 離乳開始時期はどのように決めればよいですか？ 基準やサインがありますか？ ——— 39
- Q32 母乳栄養児は，離乳期に鉄欠乏性貧血に気をつけるようにいわれましたがなぜですか？ ——— 40
- Q33 くる病とはどのような病気ですか？ 予防するために気をつけることはありますか？ ——— 42
- Q34 フォローアップミルクは飲ませたほうがよいですか？ ——— 44
- Q35 嫌がって食べないものを上手に食べさせる方法はありますか？ ——— 45
- Q36 便秘や下痢をしているときは，どのような離乳食がよいですか？ ——— 46
- Q37 「手づかみ食べ」は，させないといけませんか？ ——— 47
- Q38 食品表示は何に気をつけて見ればよいですか？ 記載方法は決まっていますか？ ——— 48
- Q39 鉄分，カルシウムを上手に摂取させるには，どんなものがよいですか？ ——— 49
- Q40 魚やソーセージなどの缶詰を離乳食に使用してもよいですか？ ——— 50

Q41	肉はいつ頃から食べさせられますか？	51
Q42	蜂蜜や牛乳は，なぜ1歳まであげられないのですか？	52
Q43	豆乳はいつ頃から飲ませられますか？	53
Q44	ベビーフードに添加物は使用されていますか？ 食品表示で気をつけることはありますか？	54
Q45	離乳食作りが負担です．どのようにしたら負担感少なく， 離乳食が作れますか？	55
Q46	標準よりも体重があり，見た目も太っています． 離乳食やミルクを減らしたほうがよいですか？	56
Q47	髪の色が薄いですが，栄養不足が原因ですか？	57

● アレルギー

Q48	食物アレルギーを起こす食物はどのようなものですか？	58
Q49	食物アレルギーはどのような症状でわかりますか？ 症状はすぐに現れますか？	59
Q50	食物アレルギーがある子どもの離乳食はどのように進めればよいですか？	60
Q51	食物アレルギーがある子どもが市販の離乳食を使用する場合， 気をつけることはありますか？	61
Q52	湿疹がひどいので，離乳食の開始は遅らせたほうがよいですか？	62
Q53	家族がアトピー性皮膚炎や鼻炎などのアレルギー体質です． 子どもの離乳食の時期や種類に気をつけることはありますか？	63
Q54	大豆を除去するときの注意点と工夫は，何ですか？	64
Q55	魚を除去するときの注意点と工夫は，何ですか？	65
Q56	肉類を除去するときの注意点と工夫は，何ですか？	66
Q57	果物，野菜を除去するときの注意点と工夫は，何ですか？	67
Q58	蕎麦はいつ頃から食べさせられますか？	68
Q59	卵黄と卵白のアレルギーはどう違うのですか？	69

● 歯科

Q60	口の中に白いミルクかすのようなものがあります．どうすればよいですか？	70
Q61	よだれがすごく多いのですが，よいですか？	71
Q62	乳歯はいつ頃から，どのような順番で生えますか？ 生え揃うのはいつ頃ですか？	72
Q63	歯が生えるときに違和感はありますか？ 対策はありますか？	73
Q64	哺乳瓶のゴム乳首での授乳は，口腔の発達によくないですか？	74
Q65	指しゃぶりがやめられません．歯並びに影響がありますか？ なぜするのですか？	75
Q66	おしゃぶりの使用は歯と口に悪影響がありますか？	76
Q67	歯磨きはいつから始めたらよいですか？ 歯ブラシや歯磨き粉はどのような	

	ものを選んだらよいですか？電動歯ブラシは使用してもよいですか？	77
Q68	むし歯になりやすいのはどの歯ですか？どのような状態のときになりますか？	78
Q69	歯が生えていますが，夜間に授乳しています．むし歯の予防法はありますか？	79
Q70	食事のときに食器を共有すると，むし歯がうつるのですか？	80
Q71	歯科医院でのフッ化物歯面塗布は，何歳からできますか？	81
Q72	上唇小帯が厚く，前歯にすき間があります．治療が必要ですか？	82
Q73	歯の先天欠如とはどのようなものですか？いつわかりますか？	83
Q74	歯の萌出と離乳食にはどのような関係がありますか？	84

1～2歳（幼児前期）

●栄養

Q75	1歳児健診で低体重といわれました．受診が必要ですか？	88
Q76	食事中の乳幼児に起こりやすい事故は何ですか？どのように防げますか？	89
Q77	食具の使用はいつ頃始めたらよいですか？素材は何がよいですか？	90
Q78	食事中に遊んでしまい，集中しません．どのように対応したらよいですか？	91
Q79	食欲にむらがあり，食べ残すことも多いです．栄養面で問題はないですか？	92
Q80	紙を食べていることがありますが，異食症でしょうか？どのように対応すればよいですか？	93
Q81	魚介類の練り製品を離乳食に使用する場合，気をつけることはありますか？	94
Q82	離乳が完了したら，食事はどのようなものがよいですか？	95
Q83	幼児にゼリーをあげてもよいですか？ゼラチンと寒天の違いは何ですか？	96
Q84	牛乳を嫌がって飲みません．カルシウム不足になりますか？	97
Q85	甘いものを食べさせるときの注意点はありますか？	98
Q86	経口補水液やイオン飲料はいつどのように飲ませたらよいですか？糖分は気にしなくてもよいですか？	99
Q87	ビタミン剤や保健機能食品，サプリメントは乳幼児に使用してもよいですか？	100

●アレルギー

Q88	卵やとろろ芋を食べたら口の周りが赤くなりました．食物アレルギーでしょうか？ 受診が必要ですか？	101
Q89	米を除去するときの注意点と工夫は，何ですか？	102
Q90	鶏卵を除去するときの注意点と工夫は，何ですか？	103
Q91	牛乳を除去するときの注意点と工夫は，何ですか？	104
Q92	小麦を除去するときの注意点と工夫は，何ですか？	105

- Q93 食物アレルギー児のおやつに利用しやすいものは，何ですか？ ―― 106
- Q94 食物アレルギー児がいる家族の食事，お弁当ではどのような注意をしたらよいですか？ ―― 107
- Q95 食物アレルギー児の外食では，どのような注意が必要ですか？ ―― 108
- Q96 除去食の解除時期はどのように決めますか？ ―― 109

● **歯科**
- Q97 乳歯が生え揃う前の食べ方で，気をつけることはありますか？ ―― 110
- Q98 噛み合わせや歯並びは，何歳頃から注意すればよいですか？ ―― 111
- Q99 歯磨きを嫌がらずにさせるには，どうすればよいですか？ ―― 112
- Q100 食べ物を丸飲みしてしまいます．よく噛むためにはどうすればよいですか？ ―― 113
- Q101 食べ物を口に入れたまま，いつまでも飲み込みません．どうすればよいですか？ ―― 114
- Q102 吸い食べが治りません．どうすればよいですか？ ―― 115
- Q103 転倒してぶつけてしまい前歯の色が変わっていますが，治りますか？ ―― 116
- Q104 歯ぐきが腫れて出血していますが，歯肉炎でしょうか？ ―― 117
- Q105 奥歯の溝が黒くなっていますが，むし歯ですか？ ―― 118

3〜6歳（幼児後期）

● **栄養**
- Q106 3歳児健診で肥満を指摘されました．このままだと成人期の肥満につながるかもしれないともいわれました．どのように改善したらよいですか？ ―― 120
- Q107 野菜を食べたがりません．どのように食べさせればよいですか？ ―― 121
- Q108 市販の野菜ジュースは野菜の代わりになりますか？ ―― 122
- Q109 牛乳は欲しがるままに飲ませてよいですか？ ―― 123
- Q110 お箸の練習はいつ頃から始めたらよいですか？ 訓練箸で練習したほうがよいですか？ ―― 124
- Q111 食事の献立を決めるのが苦手です．どのようにしたら栄養バランスのよい献立が立てられますか？ ―― 125
- Q112 自閉スペクトラム症の児の栄養や食事では，どのような注意や支援がありますか？ ―― 126

● **アレルギー**
- Q113 軟体類を除去するときの注意点と工夫は，何ですか？ ―― 127
- Q114 食物アレルギー児は園や学校にどのような手続きをすればよいですか？ 対応は何をしてもらえますか？ ―― 128
- Q115 食物アレルギー児が調理実習や粘土制作などで気をつけることは何ですか？ ―― 129
- Q116 食物アレルギー児が友達の家などを訪れるときに気をつけることはありますか？ ―― 130

- Q117　食物アレルギー児が他人から食べ物をもらったときの対応はどのように
　　　　教えればよいですか？ ───── 132
- Q118　緩徐経口免疫療法と急速経口免疫療法の違いは何ですか？ ───── 133

● **歯科**
- Q119　永久歯はいつ頃から生えますか？ 生え揃うのはいつ頃ですか？ ───── 134
- Q120　歯が痛むときの応急処置は，どうすればよいですか？ ───── 135
- Q121　奥歯で噛まずに前歯でばかり噛んでいます，どうすればよいですか？ ───── 136
- Q122　睡眠時に歯ぎしりをしていますが，放置しておいてよいですか？
　　　　対策はありますか？ ───── 137
- Q123　発達障害児の歯科受診で気をつけることはありますか？ ───── 138
- Q124　歯の石灰化不全とはどのような状態ですか？ ───── 139
- Q125　着色歯とはどのようなものですか？ 食べ物が原因ですか？ ───── 140
- Q126　仕上げ磨きは何歳まで必要ですか？ 自分で上手に磨けるようになるには
　　　　どうしたらよいですか？ ───── 141
- Q127　子どもの歯がむし歯になりました．食事にどのような影響がありますか？ ───── 142
- Q128　鼻づまりでいつも口がポカンと開いていて，
　　　　食事も食べにくそうにしています．どうしたらよいですか？ ───── 143
- Q129　食べ方が速いのですが．どんな問題が起こりますか？
　　　　どうしたら直せますか？ ───── 144

7 歳以上（学童期）

● **栄養**
- Q130　子どものメタボリックシンドロームの診断はどのように行われますか？ ───── 146
- Q131　「三角食べ」とは何ですか？ ───── 147
- Q132　夜更かしして朝食を食べないのですが，どのように改善したらよいですか？ ───── 148
- Q133　緑茶や紅茶もカフェインが含まれているので，控えたほうがよいですか？ ───── 149

● **アレルギー**
- Q134　口腔アレルギー症候群とはどのような疾患ですか？ 治りますか？ ───── 150
- Q135　甲殻類を除去するときの注意点と工夫は，何ですか？ ───── 151
- Q136　食物アレルギー児が学校の行事や宿泊旅行で気をつけることは何ですか？ ───── 152

● **歯科**
- Q137　清涼飲料水の飲み過ぎはどのような影響がありますか？ ───── 153
- Q138　シーラントを使用した歯科処置はどのようなものですか？ ───── 154
- Q139　よく噛んで食べる習慣はどのようにしたらつきますか？ ───── 155
- Q140　クチャクチャ音を立てて食べたり，食べこぼしが気になります．
　　　　どうしたらよいですか？ ───── 156

全年齢

●アレルギー

- **Q141** 食物アレルギーとはどのような病気ですか？ なぜ起こるのですか？ — 158
- **Q142** 食物アレルギーが悪化したり，ほかの疾患を誘発する要因はありますか？ — 159
- **Q143** 食物アレルギーになると，喘息やアトピーなどほかのアレルギーにもなりやすいですか？ — 160
- **Q144** アレルギーに気をつける食物は，月齢や年齢によって変わりますか？ — 161
- **Q145** 食物アレルギーは最終的に治りますか？ 体質は家族に遺伝しますか？ — 163
- **Q146** アレルギー専門医はどのように探せばよいですか？ 受診時の注意点はありますか？ — 164
- **Q147** アレルギーの原因食物の確定にはどのような検査をしますか？ 結果はすぐにわかりますか？ — 165
- **Q148** 食物アレルギーの治療にはどのような薬を使用しますか？ 抗アレルギー薬は有効ですか？ — 166
- **Q149** 食物アレルギー児が普段注意する薬はありますか？ また，予防接種は受けられますか？ — 167
- **Q150** アレルギー除去食にすると食べられるものが少なくなってしまいますが，どのように栄養バランスをとればよいですか？ — 168
- **Q151** アナフィラキシーの症状はどのような様子でしょうか？ 応急処置は何をすればよいでしょうか？ アドレナリン注射液（エピペン®）は誰が使用してもよいのでしょうか？ — 169
- **Q152** 食物依存性運動誘発アナフィラキシーはどのような症状ですか？ ほかのアナフィラキシー症状と違いはありますか？ — 170
- **Q153** アトピー性皮膚炎の皮膚病変と，食物アレルギーで生じる皮膚病変は違いますか？ — 171
- **Q154** ダニによって食物アレルギーを引き起こすことがあるのですか？ — 172
- **Q155** 仮性アレルゲンとはどのようなものですか？ — 173
- **Q156** 食物アレルギーでは，原因食物だけを除去すればよいですか？ 日常生活でほかに気をつけることはありますか？ — 174
- **Q157** 除去食品を誤って食べてしまった場合は，どうすればよいですか？ — 175
- **Q158** 焼いたり茹でたりなど，調理方法で抗原性が変わる食品はありますか？ — 176
- **Q159** 原因と思われる食品の摂取可能量はどのように決めますか？ — 177
- **Q160** 原因食品によって耐性獲得は異なりますか？ また，積極的に耐性を獲得する方法はありますか？ — 178
- **Q161** 牛乳アレルギーでは，乳酸カルシウムやカゼイン，乳化剤，乳糖なども除去する必要がありますか？ 卵アレルギーの場合，卵殻カルシウムはどうですか？ — 179

Q162	酸化した油はアレルギーに影響すると聞きました．油の再使用やコンタミネーションなど，家庭での油の使用方法はどうすればよいですか？	180
Q163	耐性を獲得したのか，減感作状態なのかは判別できますか？	181
Q164	豆腐は大丈夫なのに納豆を食べるとアナフィラキシーを起こすことがあるのですか？	182
Q165	小さい頃は牛肉を食べられたのに，大きくなってから牛肉アレルギーになることがあるのですか？	183
Q166	ペットを飼っていると，肉のアレルギーになることがあるのですか？	184

● 歯科

Q167	小児歯科専門医はどのようにして探せばよいですか？	185
Q168	歯や口腔内の外傷の応急処置は，病院に行く前に何をすればよいですか？一般の歯科医院に行ってよいですか？	186
Q169	アレルギーがある場合，歯科受診で気をつけることはありますか？	187
Q170	歯の質や歯並びは家族に遺伝しますか？	188
Q171	過剰歯とはどのようなものですか？手術が必要ですか？	189
Q172	口内炎ができたとき，普段の食事や生活で気をつけることは何ですか？	190
Q173	自閉症の子ですが反芻を行います．どうやったらやめさせられますか？	191
Q174	食後に行う歯ブラシは直後でしょうか，それとも30分経ってからでしょうか？	193
Q175	食べ物の嚥下のタイミングは何で決まるのでしょうか？	194
Q176	酸っぱい食べ物は歯に悪いのでしょうか？	195
Q177	歯並び（叢生）と咀嚼能率はどんな関係がありますか？	197

 妊娠期

栄 養
妊娠期

Q1 つわりがひどくて何も食べられませんが，空腹になるとさらに気分が悪くなります．どうすればよいですか？

A 手軽につまめるクッキー，せんべい，ゼリー状の食品などの常備を勧めます．起床直後につわりの症状が強い場合が多いので，すぐに食べられるようにベッドサイドに用意しておくとよいでしょう．

関連質問 Q2　　🔍 **Key word**　つわり，妊娠悪阻，Wernicke 脳症

妊婦の多くが妊娠初期につわりを経験し，十分な食事摂取ができなかったり，特定の食べ物しか食べられなかったりする場合もあります．対応策として，以下があります．
① 朝の空腹時にみられることが多いので，手軽につまめる食品（上記）で，好みのものを常備しておく．
② 1 回の食事量を少なくし，頻回に摂取する．
③ 調理過程で発生するにおいで気持ちが悪くなることもあるので，調理済みの市販品，においの気にならない冷たいものを利用する．
④ 嘔吐が激しい場合には，脱水症予防に経口補水液などによる水分補給に努める．

極端な場合を除き，妊娠週数が進むにつれて症状は改善するので，「食べられるものを食べられるときに」，個々の状況に合わせた食事摂取を検討します．

なお，「無理に食べて吐く」状況は避けることが重要です．なぜなら，吐くことで気分的に重症感が増したり，胃液の喪失に伴い，電解質のバランスが崩れたりすることがあるからです．

つわりの症状が強いと妊婦は心配になり，それがまた，つわりの症状を強くさせるという悪循環に陥ることもあります．そこで，「つわりの症状が強いのは，胎盤ホルモン（hCG）が多く分泌されている証拠です．これは胎盤が元気な証拠でもあるので心配しないように」と安心させることで，症状が和らぐ場合もあります．

妊婦のなかには，つわりの症状がしだいに強くなり，頻回の嘔吐により，脱水症状，栄養障害，さらに意識障害を起こすこともあります．このような状態を妊娠悪阻といいます．重症妊娠悪阻の場合，急性のビタミン B_1 欠乏症から，神経症状，失調性歩行，眼球運動障害などを主な症状とする Wernicke 脳症を発症することがあります．ビタミン B_1 投与により，その症状は多くの場合，改善されます．

📖 **参考文献**
- 堤ちはる，他（編著）：1．つわりと食生活．子育て・子育ちを支援する 子どもの食と栄養 第 10 版．萌文書林，2021；82

（堤　ちはる）

栄養
妊娠期

Q2 妊娠中の栄養状態は子どもの将来の健康にどのように影響しますか？

A 母体の低栄養は，低出生体重児（出生体重 2,500 g 未満）出産リスクを高め，子どもは将来，生活習慣病発症リスクが高いことが知られています．過栄養の場合は，巨大児（出生体重 4,000 g 以上）出産リスクを高め，子どもは将来，肥満になるリスクが高いことが知られています．

関連質問 Q.106, 130　　**Key word** 生活習慣病，子宮内発育遅延，DOHaD 説

解説

近年，若い女性はやせ願望が強く，20〜30 歳代のやせの女性の割合が高い状況にあります．やせた状態で妊娠することは，胎児の発育に対するリスクとなり，低出生体重児や早産児が多く出生しています．

母体の低体重（やせ）などで子宮内発育遅延がある新生児が小児期に急速な成長を遂げる場合に，将来メタボリックシンドロームのリスクが高まるとする胎児プログラミング説がありました[1]．さらに現在では，これをもとに発達期の環境に適応した子どもが，その後の環境とマッチするかどうかが成人期の健康に影響するという，DOHaD（developmental origins of health and disease）説が提唱されています[2]．

一方，母体の過栄養で妊娠中の体重増加量が多く，巨大児（高出生体重児）になった場合は，4,000 g 未満で生まれた児に比べて，肥満になる危険がオッズ比 2.07（1.91 − 2.24）であることが明らかになっています[3]．さらに，肥満から将来，メタボリックシンドローム，2 型糖尿病へとつながることも知られています．

そこで，妊娠中には適正な体重増加のために，個々の状況に合わせた栄養管理や，食事時刻，睡眠時間などを含めた生活スタイルの適正化が必要になります．

文献
1) Barker DJ：The fetal and infant origins of adult disease. BMJ 1990；301：1111
2) Gluckman PD, et al.：Living with the past：evolution, development and patterns of disease. Science 2004；305：1733-1736
3) Yu ZB, et al.：Birth weight and subsequent risk of obesity：a systematic review and meta-analysis. Obes Rev 2011；12：525-542

（堤　ちはる）

栄養
妊娠期

Q3 妊娠中の体重増加はどのくらいがよいですか？

A 妊娠中の体重増加指導の目安は，妊娠前の体格区分が「低体重（やせ）」〈BMI（body mass index）18.5 kg/m² 未満〉の場合は 12〜15 kg，「普通」（BMI18.5 kg/m² 以上 25.0 kg/m² 未満）の場合には 10〜13 kg，「肥満」（1度）（BMI25.0 kg/m² 以上 30.0 kg/m² 未満）の場合には 7〜10 kg，肥満（2度以上）（BMI30.0 kg/m² 以上）は，医師などに相談し，他のリスクなどを考慮しながら上限 5 kg までを目安として，個別に対応します．

関連質問 Q6

Key word 体重増加指導の目安，体格区分，BMI

解説

妊娠中の体重増加指導の目安は，妊娠前の体格区分により分かれています（表）[1]．

「普通」でBMI（body mass index）が「低体重（やせ）」に近い場合には，体重増加指導の目安の上限側に近い範囲，「肥満」に近い場合には体重増加指導の目安の下限側に低い範囲の体重増加が望ましいです．

なお，体重増加量を厳格に指導する根拠は必ずしも十分ではないことを認識して，バランスよく栄養素の摂取を促すことを基本として，個人差を考慮したゆるやかな指導を心がけます[2]．

表　妊娠中の体重増加指導の目安[*1]

妊娠前の体格[*2]		体重増加指導の目安
低体重（やせ）	18.5 未満	12〜15 kg
普通体重	18.5 以上 25.0 未満	10〜13 kg
肥満（1度）	25.0 以上 30.0 未満	7〜10 kg
肥満（2度以上）	30.0 以上	個別対応（上限 5 kg までが目安）

[*1]：「増加量を厳格に指導する根拠は必ずしも十分ではないと認識し，個人差を考慮したゆるやかな指導を心がける」産婦人科診療ガイドライン産科編 2020 CQ010 より
[*2]：体格分類は日本肥満学会の肥満度分類に準じた．
（厚生労働省：妊娠前からはじめる妊産婦のための食生活指針〜妊娠前から，健康なからだづくりを〜解説要領．2021；15）

文献
1) 厚生労働省：妊娠前からはじめる妊産婦のための食生活指針〜妊娠前から，健康なからだづくりを〜解説要領．2021；15
2) 日本産科婦人科学会・日本産婦人科医会（編集・監修）：CQ010 妊娠前の体格や妊娠中の体重増加量については？　産婦人科診療ガイドライン産科編 2020．日本産科婦人科学会，2020；45-48

（堤　ちはる）

栄養
妊娠期

Q4 妊娠中の貧血予防にはどのような食事がよいですか？

A 妊娠中は鉄欠乏性貧血が多くなります．予防には，①鉄含有量の多い食品の摂取，②バランスのよい食事の摂取，③たんぱく質，ビタミンC摂取量を増やす，④鉄の吸収阻害作用をもつ食物成分の摂取回避，⑤鉄鍋の利用などが有効です．

関連質問 Q7, 8

🔍 **Key word** ヘム鉄，非ヘム鉄，鉄の吸収率

解説

鉄欠乏性貧血が軽度（ヘモグロビン値が9.0～11.0 g/dL）の場合には，鉄剤投与による治療を開始するよりも，まず初めに食事の改善を行います．鉄は含有量には差はありますが，ほとんどの食品に含まれているので，食事制限や極端な偏食には注意が必要です．鉄を多く含む食品を表に示します．

なお，食物中の鉄には，主に動物性食品（赤身の肉，レバー，赤身の魚，特に血合の部分など）に多く含まれるヘム鉄と，植物性食品（海藻，緑黄色野菜，穀類，種実類など）に多く含まれる非ヘム鉄があります．適正な貯蔵鉄をもつ健康なヒトでは，ヘム鉄の吸収率は15～25%程度，非ヘム鉄では2～5%程度ですので，ヘム鉄のほうが体内で効率よく吸収できるという特徴があります．

非ヘム鉄の吸収率を高めるには，動物性たんぱく質やビタミンCの同時摂取を心掛けます．主菜の魚・肉料理で動物性たんぱく質を，食後にデザートなどの果物（イチゴ，キウイフルーツ，ミカンなど）からビタミンCをとることもお勧めです[1]．

防錆加工をしていない鉄製の鍋やフライパンから調理中に鉄は溶出します．酸の存在下で多くの鉄が溶出しやすくなるため，食酢やトマトケチャップなどを使用すると効果的です．また，煮物など長時間かかる料理も，鉄の溶出時間が長くなるため効果的な調理法です．なお，鉄は油には溶出しないので，揚げ物などの油を多く使用する料理は，あまり効果は期待できません．

一方，鉄の吸収を阻害するものには，穀物，ぬかなどに含まれるシュウ酸塩，コーヒー，緑茶

表　鉄を多く含む食品と常用量中の鉄含有量

食品名	常用量（目安量）	常用量中鉄含有量
豚レバー	50 g（約小1枚）	6.5 mg
鶏レバー	60 g（約1羽分）	5.4 mg
あさり（水煮缶）	10 g（約大さじ1）	3.0 mg
牛もも（赤肉）	70 g（約1枚）	2.0 mg
かき（むき身）	75 g（約5個）	1.6 mg
めじまぐろ	80 g（切り身1切れ）	1.4 mg
鶏卵（全卵）	50 g（約1個）	0.75 mg
豚ロース赤身・もも皮下脂肪なし	70 g（約1枚）	0.49 mg
小松菜（生）	100 g（約1/3束）	2.8 mg
ほうれん草（生）	100 g（約1/3束）	2.0 mg
納豆	50 g（約1パック）	1.7 mg
凍り豆腐（乾燥）	20 g（約1個）	1.5 mg
ひじき（鉄窯，ゆで）	20 g（約小鉢1杯）	0.54 mg
ひじき（ステンレス窯，ゆで）	20 g（約小鉢1杯）	0.06 mg

（文部科学省：日本食品標準成分表2020年版（八訂）．2020 をもとに著者作成）

栄養
妊娠期

に含まれるタンニン酸，セルロースなどの食物繊維があります．

　サプリメントで鉄の補給もできますが，総合ビタミン剤などが含まれているものもあり，利用時には特にビタミン A の過剰摂取に注意する必要があります．

文献
1) 堤ちはる，他（編著）：2．鉄欠乏性貧血．子育て・子育ちを支援する　子どもの食と栄養　第 10 版．萌文書林，2021：82-83

（堤　ちはる）

栄養
妊娠期

Q5 葉酸のサプリメントはどのような効果がありますか？

A 妊娠前から妊娠初期にかけて適量の葉酸(プテロイルモノグルタミン酸, 1日0.4 mg)をサプリメントとして摂取することで, 胎児の神経管閉鎖障害(二分脊椎など)の発症リスクを減らせることが明らかになっています.

関連質問 Q2

Key word 葉酸, 神経管閉鎖障害, プテロイルモノグルタミン酸

解説

葉酸はビタミンB群の水溶性ビタミンで, 核酸の合成やアミノ酸の代謝, 細胞分裂には欠かせない栄養素です. 体内の蓄積性は低く, 毎日摂取することが必要です. 葉酸はほうれん草やブロッコリー, 春菊などの緑黄色野菜や, 枝豆, イチゴ, 納豆などの身近な食品に多く含まれています. 葉酸の欠乏は, 巨赤芽球性貧血や神経管閉鎖障害の発生に関連することが指摘されています.

神経管閉鎖障害とは, 受胎後およそ28日で閉鎖する神経管の形成異常で, 主に先天性の脳や脊椎の神経管形成過程での癒合不全のことをいいます. 脊椎の癒合不全から二分脊椎が起こり, 生まれたときに, 腰部の中央に腫瘤があるものが最も多いとされます. また, 脳に腫瘤のある脳瘤や脳の発育ができない無脳症となる場合などがあります. 神経管閉鎖障害の発症は遺伝要因などを含めた多因子による複合的なもので, 葉酸摂取のみにより予防できるものではありません. しかし, 一定量の葉酸の摂取により集団としての発症のリスクは低減が期待できます.

妊娠を望んでいる人や妊娠中の女性は, 妊娠前〜妊娠初期にかけて適量の葉酸(プテロイルモノグルタミン酸, 0.4 mg/日)を摂取することにより, 胎児の神経管閉鎖障害(二分脊椎など)の発症リスクを低下させるという報告があります. 緑黄色野菜, 果物など通常の食品から摂取する葉酸(N^5-メチルテトラヒドロ葉酸のポリグルタミン酸型)では, 神経管閉鎖障害発症予防効果は不明です. そこで, サプリメントや葉酸が強化された食品に含まれるプテロイルモノグルタミン酸の形で, 葉酸は摂取することが勧められます[1]. 葉酸のサプリメントや葉酸が強化された食品から葉酸(狭義の葉酸)を十分に摂取しているからといって食事性葉酸を含む食品を摂取しなくてよいという意味ではありません. 他の栄養素の摂取不足につながることもあるからです.

なお, 葉酸(プテロイルモノグルタミン酸)は, 過剰に摂取すると悪影響(神経障害)も報告されているので, サプリメントなどを利用する場合には, 1日の摂取目安量を守ることが大切です.

文献
1) 伊藤貞嘉, 佐々木 敏(監修):日本人の食事摂取基準(2020年版). 第一出版, 2020;236-237

(堤 ちはる)

栄養
妊娠期

Q6 妊娠前から肥満の場合,どのような影響がありますか? 食生活ではどのような注意が必要ですか?

A 妊婦の肥満は,妊娠糖尿病,妊娠高血圧症候群,巨大児出産,帝王切開率の増加などと関連します.食生活では,妊娠糖尿病発症予防に,食後の急激な血糖値の上昇を招かないような食事をとることが勧められます.

関連質問 Q3　　🔍 **Key word**　妊娠糖尿病,食後高血糖,GI

解説

　肥満妊婦は,妊娠・分娩時に上記のようなリスクがあるだけでなく,将来,生活習慣病発症のリスクも高いです.食生活では,耐糖能異常を生じる前から食後高血糖が観察されることが多いために,食後高血糖の予防が,妊娠糖尿病への進展防止に重要です.

　食後高血糖予防の食事の工夫としては,①朝・昼・夕3回の各食事のエネルギーをおよそ2:1に分割して6回の分割食にする.②食事の最初に食物繊維の多い食品を,ゆっくりとよく噛み摂取する.食物繊維には糖の吸収を穏やかにする作用があり,また,ゆっくりよく噛んで食べることで,満腹中枢を刺激して過食を防止します.③糖質の種類に着目する.ブドウ糖などの単糖類やショ糖(砂糖)などの二糖類をなるべく避けて,ご飯などの穀類やイモ類など,消化・吸収に時間がかかる多糖類のでんぷんからのエネルギー摂取を勧めています.

　一般的には,食品のエネルギーに注目しがちですが,食後の血糖上昇に大きな影響を与えるのはエネルギーではなく,炭水化物量であることが多いです.また,炭水化物量が同じでも,食品の組み合わせや調理法などにより,食後の血糖値を上げにくい低グリセミックインデックス(glycemic index:GI)食品があるので,それらを考慮することも推奨されます.ブドウ糖の値を

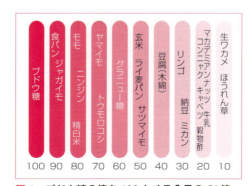

図1　ブドウ糖の値を100とする食品のGI値
(細谷憲政:人間栄養とレギュラトリーサイエンス.第一出版,2010:186)

栄養
妊娠期

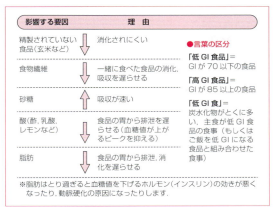

図2　GIに影響する要因

GI：グリセミックインデックス
（細谷憲政：人間栄養とレギュラトリーサイエンス．第一出版，2010：184）

100とする食品のGIを図1に，GIに影響する要因を図2に示します[1]．

一方，食後の血糖管理に配慮するあまり，食事療法の基本である栄養バランスのよい食事，体重管理，規則的な食生活をおろそかにしてはなりません．エネルギー産生栄養素バランスは，炭水化物は50〜65％，たんぱく質は13〜20％，脂質は20〜30％を目安とします．

なお，妊娠中の母体の低栄養は，出生児の将来の生活習慣病発症リスクを高めるという胎児プログラミング説やDOHaD（developmental origins of health and disease）説が提唱されています．そのため，妊娠中に母体が低栄養になるほどの極端な食事制限は勧められません．

文献
1) 細谷憲政：第Ⅷ章　栄養の質の評価と糖尿病の食事療法．人間栄養とレギュラトリーサイエンス〜食物栄養学から人間栄養学への転換を求めて．第一出版，2010：174-197

（堤　ちはる）

栄養
妊娠期

Q7
妊娠高血圧症候群とはどのようなものですか？食生活ではどのような注意が必要ですか？

A
妊娠20週以降，分娩後12週までに，高血圧がみられる場合，または高血圧にたんぱく尿を伴う場合のいずれかで，かつこれらの症状が単なる妊娠偶発合併症によらないものが，妊娠高血圧症候群と定義されています．極端な塩分制限は勧められませんが，薄味で栄養バランスのとれた規則正しい食生活を送ることが大切です．

関連質問 Q 3, 4, 8　　**Key word**　妊娠高血圧症候群，高血圧

解説

妊娠高血圧症候群は，妊娠32週以降に発症することが多いのですが，早発型とよばれる妊娠32週未満で発症した場合は重症化しやすいです．重症になると母体には血圧上昇，たんぱく尿，子癇（けいれん発作など），脳出血，腎臓の機能障害，肝機能障害に溶血と血小板減少を伴うHELLP症候群などを，また胎児には，発育不全，常位胎盤早期剥離，胎児機能不全，胎児死亡などが起こることもあります．

妊娠高血圧症候群発症リスクが高いのは，肥満（BMI25kg/m^{2}以上），高齢出産（40歳以上），糖尿病，腎臓病や高血圧の既往歴，高血圧の家族歴，多胎妊娠，初産婦，妊娠高血圧症候群既往などです．

妊娠高血圧症候群の原因についてはさまざまな研究が進んでいますが，結論はでていません．治療は安静と入院が中心で，けいれん予防や重症の高血圧に対して薬剤を用いることがありますが，根本的な治療法ではありません．治療の基本は妊娠の終了（出産）になります．

食生活では，妊娠中にBMI（body mass index）別に適切な体重増加（Q3の**表**参照）が得られるような食事摂取をめざします．

参考文献
・日本産科婦人科学会・日本産婦人科医会（編集・監修）：CQ309-2 妊娠高血圧症候群と診断されたら？　産婦人科診療ガイドライン産科編2020．日本産科婦人科学会，2020：172-176

（堤　ちはる）

栄 養
妊娠期

Q8
妊娠糖尿病とはどのようなものですか？食生活ではどのような注意が必要ですか？

A
妊娠糖尿病は,「妊娠中に初めて発見,または発症した糖尿病に至っていない糖代謝異常」と定義され,妊娠時に診断された明らかな糖尿病は含めません.食生活は,必要なエネルギーや栄養素を確保しつつ,食後の急激な血糖上昇を避ける食べ方が勧められます.

関連質問 Q 4, 6, 7   🔍 **Key word** 妊娠糖尿病,食後高血糖,2型糖尿病

妊娠糖尿病発症リスクが高いのは,糖尿病の家族歴,肥満,高齢出産,巨大児分娩既往,原因不明の習慣流産・早産歴や周産期死亡歴,先天奇形児の分娩歴,強度の尿糖陽性もしくは2回以上反復する尿糖陽性,妊娠高血圧症候群,羊水過多症などがあります.

妊娠糖尿病で血糖管理が適切に行われないと,網膜症,腎症,神経障害,低血糖などが,それ以外に妊婦特有の合併症として,妊娠高血圧症候群,早期産,羊水過多症などが起こります.また,分娩時に児が巨大児の場合には,肩甲難産,腕神経麻痺,骨折,産道裂傷,帝王切開率の上昇などが起こります.

食事は,妊娠を維持するのに必要なエネルギーと栄養素の供給,食後の急激な高血糖を起こさない,空腹時のケトン体産生を亢進させない(過剰に産生すると酸塩基平衡に影響するため)などの条件を満たす必要があります.過剰なエネルギー制限は,同様に過剰なケトン体をつくりだし,母児両方に悪影響を及ぼします.肥満妊婦は特にその傾向が強くなります.

食後の急激な高血糖を予防する食事の工夫については,Q6の解説を参照ください.食事指導だけでは血糖管理が不十分な場合には,インスリン治療が必要です.

妊娠糖尿病既往女性は,妊娠中に耐糖能が正常の女性に比べて,将来の2型糖尿病発症リスクが約7.5倍も高いです[1].妊娠糖尿病と2型糖尿病の病因は同じですから,特に妊娠糖尿病既往の授乳期の女性には,必要なエネルギーや栄養素を確保しつつ,食後の急激な血糖上昇を避ける食べ方の指導など,2型糖尿病発症リスクを減らす栄養管理が重要となります.また,将来の糖尿病発症予防と,その後の妊娠における形態異常発症予防の観点から,長期的な視点に立脚した継続的な支援が必要です.

📖 文献

1) Bellamy L, et al.:Type 2 diabetes mellitus after gestational diabetes:a systematic review and meta-analysis. Lancet 2009;373:1773-1779

(堤 ちはる)

アレルギー
妊娠期

Q9 妊娠中に，子どものアレルギー発症予防のためにできることはありますか？

A 現時点で，妊娠中にできるアレルギー発症予防に有効であることが証明された方法はありません．バランスのよい食事を心掛けましょう．

関連質問 Q10　　🔍 **Key word**　n-3系多価不飽和脂肪酸，食事制限

解説

ときどき食物アレルギーやアトピー性皮膚炎がある子どもの母親から「次の子を妊娠したのですが何かできることはありますか？」と聞かれます．通常はその後に，「食べたほうがよい食材や，食べないほうがよいものなどありますか？」と続くので，現時点では食事制限の有効性は明らかでなく，バランスよい食事を心掛けてくださいとお話しています[1]．

妊娠中および授乳中にω-3（n-3）系多価不飽和脂肪酸（魚油，エゴマ油，亜麻仁油などに多く含まれます）を摂取した群では，生後12か月までの食物アレルギーと12〜36か月までのアトピー性皮膚炎の罹患率が下がったという報告が一部あります．しかし，それらの報告でも12か月以降，あるいは36か月以降では差がないとされております．よって現時点ではn-3系不飽和脂肪酸の摂取が有効であるという報告は限定的であり，明らかな効果があるといえる十分な根拠はない状態です[2]．

ただし，摂取したことが害になるという報告もありません．ω-3（n-3）系多価不飽和脂肪酸の多い食事は自然と魚を中心とした食事になります．子どものω-3（n-3）系多価不飽和脂肪酸の摂取によりアレルギーが抑制されるという報告もあり，妊娠中からω-3（n-3）系多価不飽和脂肪酸が多い食事を習慣づけることも勧められます．

📖 文献

1) Fleischer DM, et al.：A consensus Approach to the Primary Prevention of Food Allergy Through Nutrition：Guidance from American Academy of Allergy, Asthma and Immunology：American College of Allergy, Asthma, and Immunology and the Canadian Society for Allergy and Clinical Immunology. J Allergy Clin Immunol Pract 2021；9：22-43
2) Gunaratne AW, et al.：Maternal prenatal and/or postnatal n-3 long chain polyunsaturated fatty acids (LCPUFA) supplementation for preventing allergies in early childhood. Cochrane Library 2015；7

（森田 久美子）

アレルギー
妊娠期

Q10 アレルギー疾患がある母親の妊娠期の食物除去は有効ですか？

A アトピー性皮膚炎，食物アレルギー，気管支喘息ともに妊娠中の食事除去が子どものアレルギー疾患発症予防に有効であるというエビデンスはなく推奨されていません．

関連質問 Q9

Key word 妊娠中の食事制限，ガイドライン

解説

　両親にとって自分または同胞にアレルギー疾患がある場合，妊娠中の次子のアレルギー疾患を何とか防げないかと考えるのは当然のことでもあります．特に長子が食物アレルギーの場合，その原因食品を妊娠中から除去することで次子の食物アレルギーを予防できないかと考えることが多いのではないでしょうか．

　確かに両親，同胞にアレルギー疾患があるハイリスク児の場合，次子がアレルギー疾患を発症する確率は有意に高くなることが知られています．ハイリスク児に関して，母親の妊娠中や授乳中の食事制限，離乳食の与え方などが，将来のアレルギー疾患の発症にどの程度効果があるのかが世界中で調べられ，その結果がガイドラインまたは勧告という形で示されてきました．2000年の米国小児科学会(American Academy of Pediatrics：AAP)のガイドラインでは，母親の妊娠中の食事制限について「ピーナッツ以外は推奨しない」となっていました．しかし，2008年のガイドラインでは「妊娠中の母親の食事制限によってアレルギー疾患が予防できる根拠はない」と修正されました．現在，私たちが手に取ることのできる2013年のAAAAI(American Academy of Allergy, Asthma and Immunology)やCSACI(the Canadian Society for Allergy and Clinical Immunology)のガイドライン[1]，および2019年の米国小児科学会の勧告ではそれぞれ母親の食事制限は「推奨しない」となっています．わが国の小児アレルギー学会のガイドライン[2]では，妊娠中の母親の食事制限を推奨しないことに加え，偏食はしないと記載されています．このようにハイリスク児であっても妊娠中に母親が食事制限を行うことでアレルギー疾患の予防ができるという根拠はなく，そのための食事制限は推奨されていません．

文献
1) Fleischer DM, et al. : A consensus Approach to the Primary Prevention of Food Allergy Through Nutrition : Guidance from American Academy of Allergy, Asthma and Immunology : American College of Allergy, Asthma, and Immunology and the Canadian Society for Allergy and Clinical Immunology. J Allergy Clin Immunol Pract 2021；9：22-43
2) 海老澤元宏，他(監修)，日本小児アレルギー学会食物アレルギー委員会(作成)：食物アレルギー診療ガイドライン2021．協和企画，2021：64-68

（森田 久美子）

歯 科
妊娠期

Q11 妊娠中の母親の歯や口の健康状態は，子どもにどのように影響しますか？

A むし歯は感染症なので，母親の口腔内に多くの細菌を保有していると，口移しなどで子どもに細菌が早期に伝播し，むし歯発生のリスクが高まるとともに，歯周病の場合は低出生体重児や早産する確率が高くなるといわれています．

関連質問 Q 70

Key word 細菌の母子伝播，子どものう蝕，低出生体重児

解説

　子どものう蝕（むし歯）は，家族などの身近な人物，特に子どもの養育に中心的役割を果たす保護者（多くは母親）から唾液を介してミュータンスレンサ球菌（*Streptococcus mutans*）が子どもの口に伝播し，口腔内に定着することから始まります．その伝播を抑制するポイントは，細菌が口腔内に定着する時期をできるだけ遅らせることです．早い子ではミュータンスレンサ球菌は 1 歳頃，乳歯が数本生えてくる頃から口腔内に検出されるようになり，3 歳くらいまでが感染しやすく，それ以降は感染しにくいといわれています．細菌の定着は，口腔内に入る細菌の量，時間当たりの回数，そのときのスクロース（ショ糖）の有無と深く関係します．このため保護者（母親）の口腔ケアや治療を行い，口腔内のミュータンスレンサ球菌数を減少させることが必要です．保護者である母親がう蝕にり患していたり，口腔内が不潔であると，母親からミュータンスレンサ球菌が子どもに早期に伝播しやすくなり，う蝕発生のリスクが高まります．逆に口腔内の細菌が少なければ，子どもへの感染の機会も減少するため，保護者自身の口腔管理が重要です．このため子どもとの口移しや食器類，歯ブラシの保護者との共有を離乳期には避けることが必要です．

　また妊婦が歯周病に罹患していると，低出生体重児や早産の確率が高くなるといわれています．歯周病菌が子宮の収縮に間接的に働きかけ，その結果として子宮頸部が拡張し，早産になると考えられています．これらのことから妊娠前に歯や口の健康状態を改善しておくことが重要です．

参考文献
・木村光孝（監修），髙木裕三，他（編）：新装版 子どもの歯に強くなる本．クインテッセンス出版，2012

（飯沼　光生）

歯 科
妊娠期

Q.12 妊娠中にクリーニングや歯科治療をしてもよいですか？

A クリーニングは問題ありませんし，むしろお勧めします．また，歯科治療による胎児への影響は，妊娠初期を除き，ほとんどないと考えられます．しかし，絶対に安全とはいいきれないので，妊娠中の歯科治療は必要最低限にすることが望まれます．

関連質問 Q.11, 14　　🔍 **Key word**　安定期，応急処置，クリーニング

 解説

　妊娠中は女性ホルモンの影響を受けたり，つわりで歯磨きが不十分になったりすることで，歯肉炎やう蝕を起こしやすい環境になります．これは歯科医院での口腔清掃やクリーニングで改善されますし，問題もありませんので，妊娠中の歯科受診は必要です．

　また，歯科治療は可能ですが，原則として応急処置以外の治療は行わないほうが無難です．胎児に異変が生じた場合，歯科治療との因果関係の有無を証明することが困難だからです．このため，できる限り妊娠前に治療をすませるか，出産後に治療することが望ましいです．どうしても必要であれば妊娠中期（5〜8か月）の安定期に短時間の応急処置がよいでしょう．

　X線撮影は防護エプロンを着用して，一次X線を腹部に照射しなければ，口腔領域のX線撮影による胎児への被曝線量はほとんどゼロになります．このため，診療上必要な撮影は可能です．局所麻酔薬も通常の使用量では母体，胎児ともに影響はほぼありません．麻酔薬に含有されているアドレナリン（血管収縮薬）も，含有されている量では問題ありません．むしろ，無麻酔で処置を行うと，疼痛により体内で分泌されるアドレナリンのほうが多くなり，血圧を上昇させ，子宮にも影響を及ぼします．投薬については，胎児に確実に安全が保証されているものはありません．しかし激しい痛みなどを我慢することで胎児に悪影響を及ぼすこともあり，比較的安全なものを治療上の有益性が危険性を上回ると判断された場合のみ使用します．抗菌薬としてはセフェム系，ペニシリン系，鎮痛薬はアセトアミノフェンが比較的安全とされていますが，投与時には産科医に確認を行うことが安全と考えられます．治療時の体位で仰向けは大きくなった子宮が大動脈を圧迫し血液が心臓に戻りにくくなり，仰臥位低血圧症候群を引き起こす恐れがあるため，できるだけユニットを倒さず診療を行った方が安全です．

（飯沼　光生）

歯　科
妊娠期

Q13 味覚はどのように発達するのでしょうか？ 味覚のために気をつけることはありますか？

A 味覚は出生時に既に備わっており，新生児では味に対する閾値が低い，つまり反応が強く，子どものほうが成人と比較して味に対して敏感です．このため，大人の感覚で味付けをすると濃すぎるので注意が必要です．

関連質問 Q.35, 82　　🔍 **Key word** 味蕾，味覚閾値，味覚経験

解説

　味覚は味蕾で感じます．味蕾の数だけでみると，妊娠5か月～生後3か月がピークで成人の1.3倍の味蕾（成人は約1万個）があるといわれています．このため，子どものほうが成人と比較して味覚閾値が低い，つまり味に対して敏感であるといわれています．特に離乳食は大人には味の薄いものでも，子どもにとっては十分に味を感じるため，大人の感覚で味付けをすると濃すぎます．しかし，最近は果物や野菜も甘みが増しており，子どもはそれらの味を1度経験するといつまでも薄い味では満足できなくなり，離乳食を食べなくなることがあります．甘味，塩味より出汁などによるうま味を使用することで味付けの工夫が求められます．

　味覚は，中枢の大脳皮質や大脳辺縁系に伝わり感じますが，経験の蓄積が大きく影響するため，環境により大きく変わります．出生直後はミルクを吸うのみで，ほかのものは受けつけません．しかし，出生時から備わっている原始反射の舌挺出反射（ぜっていしゅっぱんしゃ）（ものが口に入ると舌で押し出そうとする反射）が消失し，離乳が始まる生後5～6か月頃には何でも口の中に入れるようになり，味覚の許容度も上がります．この時期にはいろいろな食物を摂取して味を体験，学習し，記憶することで味の好みが育っていきます．またこの時期の味覚体験がその後の味に対する嗜好に大きく影響します．例えば，離乳期に味の濃いものを食べると大人になっても濃い味を好むようになります．このように普段の食生活の影響が大きく，よく口にしている食物は好むようになり，食べ慣れないものは，最初は不快に思い拒否しますが，慣れていくうちにおいしいと感じるようになります．このため，いろいろな食べ物を経験させることが重要です．また，味覚と楽しい思い出や経験が結びつくとその味が好ましいものとして記憶されます．さらには，視覚や嗅覚の情報や楽しく豊かな食生活と結びつくことにより豊かな味覚が獲得されていきます．

（飯沼　光生）

歯科
妊娠期

Q14 妊娠中につわりや体調不良でどうしても歯磨きができないときは，どうしたらよいですか？

A 体調不良のときは歯磨きを食後に限定せず，悪心が落ち着いている時間帯に無理せず実施しましょう．ヘッドが小さい歯ブラシを使用し，顔を下に向けて前かがみに磨くことで嘔吐感を避けやすいです．歯磨きができない場合は，水や洗口液でうがいを頻回に行いましょう．

関連質問 Q 12　　**Key word**　つわり，歯磨き

解説

妊娠による身体的変化や生活習慣の変化により口腔内が影響を受け，歯科疾患が増悪しやすいです．妊娠期は，エストロゲンやプロゲステロンなどの女性ホルモンが増加することが知られています．また，妊娠初期から口腔内細菌叢の変化が起こり，歯周病関連細菌が増加すると報告されています．これらのホルモンや細菌の増加により，歯肉の炎症が発症，進行しやすくなります．

妊娠中はむし歯（う蝕）発症のリスクも高くなります．悪心や嘔吐などの妊娠悪阻の症状により，口腔清掃が困難になることや食事内容や回数の変化がみられます．頻回に嘔吐がある場合は，胃酸が逆流し，口の中が酸性に傾き，歯が脱灰されやすい状況になります．このように妊娠中は，むし歯ができやすい要因が重なりますので，体調に合わせたセルフケアが重要です．

悪阻や体調不良時の歯磨きは，以下のような工夫をして口腔内を清潔に保つようにしましょう．

①体調のよい時間帯に歯磨きをする．
②歯ブラシはヘッドが小さいものを選ぶ．
③歯ブラシは小さく動かす．
④のどへ水分が流れないように顔を下に向けて磨く．
⑤刺激の少ない歯磨き粉に変更または歯磨き粉を使用しない．
⑥歯磨きができない場合は，水や洗口液でうがいを十分に行う．

近年，妊婦が歯周病に罹患している場合，早産や低体重児出産のリスクが高くなることが報告されています．母子の健康維持のために，妊婦歯科健診受診およびかかりつけ歯科医院でのプロフェッショナルケアは重要です．

参考文献
・日本歯科衛生士会（監修）：歯科口腔保健の推進に向けてライフステージに応じた歯科保健指導ハンドブック．医歯薬出版，2014

（西村　瑠美）

歯科
妊娠期

Q15 丈夫な歯を作るために，栄養などで気をつけたほうがよいことはありますか？

A 赤ちゃんの歯は，お母さんのお腹にいるときから発育が始まっており，乳歯だけではなく，永久歯の芽もつくられ始めています．丈夫な歯をつくるにはバランスのとれた食生活を通して，お腹の赤ちゃんに必要な栄養を届けることが大切です．

関連質問 Q 62, 124　　🔍 **Key word**　カルシウム，リン，石灰化

解説

妊娠期は，胎児の歯の発生，石灰化(硬くなること)，形成にかかわる大切な時期です．妊娠7週目ころから乳歯の歯胚(歯の元となる芽のようなもの)がつくられ，妊娠4か月の後半から歯の形がつくられていきます．その頃には，永久歯の歯胚もつくられ始めます[1]．

丈夫な歯をつくるために積極的にとるとよい栄養には，カルシウム，たんぱく質，リン，ビタミンA・C・Dなどがあります．特に，カルシウムやリンは歯の石灰化に重要な働きをしており，十分に摂取することで，石灰化を促し，赤ちゃんの歯を強くすることができます[2]．

必要な栄養素	働き	豊富に含まれる食品
カルシウム	赤ちゃんの骨や，歯，血液，神経組織などをつくる 赤ちゃんの歯の石灰化を助ける	乳製品，小魚，豆類，海藻類，緑黄色野菜など
たんぱく質	赤ちゃんの歯胚(歯の元となるもの)をつくる	肉，魚，卵，乳製品，大豆製品など
リン	赤ちゃんの歯の石灰化を助ける	米，牛肉，豚肉，卵など
ビタミンA (※妊娠3か月以内は摂取過多には注意する)	歯のエナメル質(表面の硬い部分)をつくる	豚肉，レバー，ほうれん草，ニンジンなど
ビタミンC	歯の象牙質(エナメル質の下の部分)をつくる	ピーマン，ブロッコリー，ミカンなど
ビタミンD	カルシウムやリンの吸収・代謝にかかわる	きのこ，卵，豚肉，鮭など

参考文献
1) 8020推進財団：マイナス1歳から始める母と子の歯育て～生涯おいしく食べるために～．8020推進財団，2022；6-7
2) 高阪利美，他：IV編 対象別の歯科衛生介入．全国歯科衛生士教育協議会(監修)，最新歯科衛生士教本 歯科保健指導論・歯科保健指導論．第2版，医歯薬出版，2020；316-317

(三分一 恵里)

0〜4か月
(新生児〜乳児早期)

栄 養
0〜4か月

Q16 子どもが泣くたびに，母乳やミルクを与えてよいですか？ 授乳時刻やミルクならば量も決めたほうがよいですか？

A 泣いているのが，空腹か，それ以外の原因かを見極めて，空腹時に母乳や育児用ミルク（以下ミルク）は与えます．授乳時刻はある程度一定にすると，空腹・満腹のリズムが形成され，離乳食も順調に進みやすいです．ミルクは，製品に書いてある目安量を与え，成長曲線を確認しながら個々人にあわせて量の調整をします．

関連質問 Q 20　　🔍 **Key word**　母乳育児，愛着形成

解説

　母乳は，乳児の要求に応じて欲しがるだけ与える自律授乳が一般的です．しかし，理由を問わず泣けばすぐに与えることは，自律授乳と区別して考える必要があります．乳児は要求を泣いて訴えることが多いので，空腹か，それ以外の原因かを見極めることが重要です．空腹以外が原因で泣いた場合にも授乳をしていると，空腹・満腹のリズムが確立しづらく，離乳食が順調に進まない場合があるので，空腹を訴えて泣いた場合に授乳します．また，空腹以外で泣いているときに乳汁を与えると，乳児は要求に的確に応えてもらえず，その経験が続くと，将来，愛着形成に問題が生じる可能性も否定できません．なお，自律授乳においても，子どもが健康で母乳分泌が十分であれば，授乳のリズムは6〜8週間くらいでほぼ定まってきます．

　母乳栄養に準じ，ミルクも乳児の授乳のリズムに沿って，食欲に応じて欲しがるだけ飲ませる自律授乳が基本です．1日の哺乳量は165〜180 mL/体重kgといわれていますが[1]，授乳量は個人差が大きいので，授乳量が目安量に達していなくても，乳児の機嫌がよく元気で，体重が成長曲線のカーブに沿って増加しているならば心配はいらないことがほとんどです．ミルクの胃内停滞時間は，母乳の約90分に比べて，約180分と長いので，平均の授乳間隔は約3時間が目安になります．

　乳児にミルクを飲ませるときに，例えば200 mLのミルクをつくって飲ませていたら，160 mLで飲むのをやめたとします．すると「あともう少し（40 mL）だから」と，「飲みたいだけ飲ませる」のではなく保護者が「飲ませたいだけ飲ませてしまう」ことがあります．しかし，乳児がいったん160 mLでやめたら，それがその時点でのミルクの適量であると判断して，将来の肥満にもつながりかねない「飲ませたいだけ飲ませる」ことは慎むことが大切です．

📖 文献
1) 堤ちはる，平岩幹男：母乳育児．新訂版 やさしく学べる子どもの食．診断と治療社，2012；20-31

（堤　ちはる）

栄養
0〜4か月

Q.17 母乳育児のメリットは何ですか？

A 母乳は，乳児と母親にとって最も自然で理想的なエネルギーや栄養素の供給源で，感染防御因子も含んでいます．また，授乳をとおしたふれあいにより，良好な母子関係の確立にも役立ちます．

関連質問 Q.18 🔍 **Key word** 母乳育児，初乳，愛着形成

解説

母乳は母児双方にとり，さまざまな利点があります（表）．表を補足すると，栄養面では母乳成分の分泌時期による変化があります．出産後5日頃までの母乳を初乳といい，分泌型免疫グロブリン（IgA）が通常の母乳の10〜20倍多く含まれています．また，生体防御機能を果たすリンパ球や免疫細胞群も高濃度で含まれています．この免疫力は約6か月間効果を維持します．初乳はその後，移行乳を経て，成熟乳（成乳，1か月頃）に変化していきます．

また，母乳は母親の食べた物により味や栄養成分が変わります．さらに，1回の哺乳でも，最初（たんぱく質，脂肪は少なく，乳糖が多い），途中（たんぱく質が増加し，乳糖は減少する），後半（脂肪が増加する）という変化をしますので，母乳そのものにより，いろいろな味が体験できます．

母子関係に及ぼす母乳育児の利点は，乳児は空腹時に泣いたり，喃語を発することにより，母乳を要求し，食欲が満たされるという生命維持の根幹の要求に応えてもらう体験の繰り返しを通じて自分は愛されていると感じ，人を信じる心が生まれ，母親との間に強力な心の絆が生まれます．これが基本的信頼関係の構築，愛着形成に発展していきます．

表 母乳育児の利点

母親の利点	乳児の利点
・出産後の母体回復を早める（子宮復古） ・プロラクチンの分泌促進 ・妊娠前の体重への回復の促進 ・排卵の抑制 ・精神的安定をもたらす ・乳がん，卵巣がんの発症率の低下 ・衛生的，経済的で手間もかからない	・免疫学的防御作用をもつ（免疫グロブリンの胎盤への移行） ・成分組成が乳児に最適で，代謝負担が少ない ・顔全体の筋肉や顎を発達させる ・乳幼児突然死症候群（SIDS）のリスクの低下 ・信頼関係を育む ・新鮮で衛生的，適温

（著者作成）

📖 参考文献

・堤ちはる，他（編著）：1. 母乳栄養．子育て・子育ちを支援する 子どもの食と栄養 第10版．萌文書林，2021；93-104

（堤 ちはる）

栄養
0〜4か月

Q 18 就労しながら母乳育児を続けるには，どうすればよいですか？

A 母乳育児の継続には，保育施設への送迎前後に自宅で，あるいは保育施設での授乳，自宅での頻回授乳，職場での搾乳も効果があります．保育施設が，母乳を与えてくれる環境かどうかも大切です．また，母乳育児への周囲の支援も欠かせません．

関連質問 Q 17　　🔍 **Key word**　搾乳，冷凍母乳

解説

母乳分泌を維持する最もよい方法は，乳児が直接母乳を吸う機会を多くもつことです．そこで，出勤直前に授乳してから乳児を預けたり，帰宅後は最初の授乳を，母児ともにゆったりとした環境で，欲しがるだけ母乳を飲ませることが効果的です．

また，乳児と一緒にいられるときは，母子ともにゆったりとした時間が過ごせるように，家族は母親以外ができる家事をやるなど，周囲の人の子育てへの支援も欠かせません．

職場では休憩時間などに，張ってしまった乳房の基底部マッサージと乳首のマッサージを行います．搾乳ができる場合には，搾乳します．乳児がいつも使っているタオルやぬいぐるみなどをそばに置いて，乳児をイメージしながら搾乳すると母乳分泌にさらに効果的です．搾乳後は，冷凍母乳を保存する専用のバッグに入れて冷凍保存します．母乳の保存期間は，健康な乳児に対しては，2ドア冷蔵庫冷凍室（-20℃）では3〜6か月，解凍した母乳は冷蔵庫で24時間が推奨されています[1]．

新鮮母乳と冷凍母乳の違いは細胞成分にあります．月齢が進んでいない乳児に役立つ細胞成分であるマクロファージ，好中球，リンパ球は，冷凍により変化します．一方，母乳由来リパーゼやアミラーゼなどは，冷凍による組成の変化はほとんどみられません[1]．

解凍は自然解凍が原則ですが，流水や約40℃の保温槽による方法もあります．電子レンジや熱湯につけて解凍すると，母乳中の免疫物質であるラクトフェリン，リゾチームなどの生理活性は失われますので，それらによる解凍は避けるようにします．

文献
1) 堤ちはる，平岩幹男：母乳の成分について．新訂版 やさしく学べる子どもの食．診断と治療社，2012：34-42

（堤　ちはる）

栄養
0〜4か月

Q.19
完全母乳栄養児ですが、体重があまり増えません。ミルクを追加する判断はどうすればよいですか？

A
体重の増加は、哺乳量だけではなく活動量などの影響もありますし、月齢によっても異なります。発達に問題がなく、哺乳時間が長過ぎなければ、特にミルクの追加はお勧めしていません。もちろん完全母乳を続けることにこだわる必要もないと思います。

関連質問 Q.17　　**Key word** 母乳，ミルク，げっぷ

解説

満期産の場合、一般的には4か月児健診のときに出生時からの体重増加が25g以上であれば問題なしとしていることが多いのですが、25g以下だとすぐにミルクを追加するように勧めている場合もあります。

1日増加量が15g以下の場合には身体疾患を含めて、何らかの問題を抱えていることが多いのですが、20g前後の増加で、元気もよく、頸がすわっているようであれば追加の必要はありません。生後4か月を過ぎると1日増加量は減ってきます。

母乳が徐々に出なくなってきている場合もあります。入浴時などに乳房が張っているときに、乳房を左右から押してみると乳線が5〜7本飛ぶことが多いのですが、これが少ししか飛ばなかったり下に垂れるだけだったりする場合には母乳が少なくなっている可能性があります。哺乳時間も片側10分以上と長くなっていることが多く、哺乳後もぐずっていることが多くなります。こうした状況が続くようであればミルクを40〜60mL調乳して飲ませてみます。勢いよく飲むようであれば母乳が足りない可能性がありますので、そのときには母乳を飲んだ後にミルクを足すことになります。母乳と違ってミルクでは一気に吸いついて飲むことができるので、空気を一緒に飲むことが多いです。ですからミルクを一気に飲む場合には、その後で十分に脱気をしてげっぷを出しておくことを勧めています。

母乳を飲んだ後の脱気不足は溢乳となってタラタラとあふれてくることが多いですが、ミルクを一気飲みした後は、脱気をしないと大量の嘔吐につながることもあります。

参考文献
・平岩幹男：新版　乳幼児健診ハンドブック．診断と治療社，2019

（平岩 幹男）

栄 養
0〜4か月

Q.20 完全母乳栄養児ですが,標準体重を上回ってきています.授乳回数を減らしたほうがよいですか？

A 授乳回数を減らす必要はないと思います.体重だけではなく身長も伸びているかどうかの確認が必要です.両方バランスよく増加している場合には何もする必要はありません.標準体重だけに気をとられて肥満を気にするのではなく,場合によっては白湯を飲ませることもありますし,5か月にさしかかっていれば離乳を勧めることもあります.

関連質問 Q.17　　🔍 **Key word** 体重過多,げっぷ,離乳

解説

標準体重を上回ったらどうするか.多くの場合にはそのまま飲ませていても問題はないのですが,例えば4か月で10 kgを超えているような場合もあります.こうした場合には,乳首への吸いつきもとてもよいのですが,うつ伏せにしても頭が上がらなくなっていることもあります.その場合,お座りやつかまり立ちという運動発達も遅れてくる場合があります.ですから,体重の絶対値だけではなく,運動能力や発達を確認しましょう.

生後1か月では重力に逆らって四肢を上に挙上することはできず,水平方向に動かすだけのことが多いですが,生後4か月になれば,うつ伏せにして頭が上がる,仰向けにしたときに手足を重力に逆らって上に突き出す,手をもって引き起こしてくると首がついてくる,こんなときにはまず問題はないことが多いです.

母乳栄養の場合,まずは片側の哺乳が終わったらいつもより長めに縦抱きにして十分にげっぷを出させましょう.歌を歌いながら少し揺らしてみても構いません.それからもう一方の乳首に吸いつくと,インターバルの時間が長いほうが吸いつきは弱くなる,すなわち哺乳量が減る場合もあります.しかし,こうした場合には,母乳の分泌量がとても多いことが通常ですので,飲み残しで張っている場合には搾乳します.また母乳を白湯に置き換える場合には,夜間ではなく,昼間の活動している時間や入浴後に与えましょう.そのほうが飲みもよいと思います.5か月にさしかかっているようなときには重湯から少しずつ離乳を進める方法もあります.いろいろ試してください.

📖 参考文献
・堤ちはる,平岩幹男：新訂版 やさしく学べる子どもの食.診断と治療社,2012

（平岩 幹男）

栄養
0～4か月

Q.21 液体ミルクとはどのようなものですか？ 粉ミルクとの違いは何ですか？

A 液体ミルク（乳児用調製液状乳）は，粉ミルク（乳児用調製粉乳）と同様に，母乳が不足した場合や母乳継続が困難な場合に母乳代替品として使用することができます．成分は基本的に粉ミルクと同じです．あらかじめ水に溶かした状態なので，災害時や外出時の利用，備蓄食品としての備え，さらに授乳時の調乳時間短縮などが，粉ミルクと比べた際の利点としてあげられます．

関連質問 Q.17

Key word 母乳代替品，粉ミルク，災害時

解説

　赤ちゃんにとって最良の栄養は母乳ですが，液体ミルクは，粉ミルクと同様に，母乳が不足した場合や母乳継続が困難な場合に母乳代替品として使用することができる食品です[1]．成分は基本的に粉ミルクと同じであることから，通常の粉ミルクでアレルギーを起こしてしまう子どもには使用できません．同じ理由から，初めて液体ミルクを利用する場合もアレルギー反応の有無の確認は必要です．

　液体ミルクの特徴としては，あらかじめ水に溶かした状態になっているので，調乳の必要がないことがあげられます．そのため，ミルクが飲みたいと泣いている子どもを待たせることがありません．普段調乳に不慣れな人や夜間授乳時の調乳の負担を軽減することもできます．また，災害被災時には，ストレスから一時的に母乳がでにくくなる母親もいます．粉ミルクは被災時に確保しづらい清潔なお湯が必要になりますが，液体ミルクは哺乳瓶に移し替える，あるいは容器にそのまま乳首をつけてすぐに使用することができます．常温保存も可能なので防災用備蓄食品としての利用も可能です．さらに，普段の外出時，お湯の調達のことを考えずにすむ，お湯が不要なので荷物が少なくてすむ利点もあります．

　配慮点としては，開封後すぐに使用し，飲み残しは与えないようにします．まったく口をつけていなくても，開封後，時間が経つと，内容物が変質する可能性があるので，飲ませることは控えます．容器に破損，膨張などや色，臭い，味に異常がある場合は使用しないようにします．保存期間が容器包装により違うので（紙パックは約6か月，缶は約1年）表示の賞味期限を確認することが必要です．価格も粉ミルクと比較すると，少し割高です．

文献

1) 消費者庁：乳児用液体ミルクってなに？（https://www.caa.go.jp/policies/policy/food_labeling/health_promotion/pdf/health_promotion_190304_0003.pdf）．2022年6月26日閲覧

（堤　ちはる）

栄養
0～4か月

Q.22
特殊ミルクとはどのようなものですか？使用に際して気をつけることはありますか？

A
特殊ミルクとは，病気が発見された赤ちゃんに疾患に応じた食事療法を行うために用いられているミルクです．新生児マススクリーニングで発見された先天代謝異常症などの早期治療に利用され，効果が認められています．

関連質問 Q.25

Key word 先天代謝異常症，特殊ミルク事務局

解説

特殊ミルクは新生児マススクリーニングなどによって発見された疾患に対して，食事療法を行うために用いられています．フェニルケトン尿症の患児にフェニルアラニン制限食が有効であると報告されて以来，治療に不可欠なミルクとして用いられてきました．その後も，先天代謝異常症領域では多くの疾患で食事療法の有用性が確かめられ，さまざまな特殊ミルクが開発されてきました．わが国では1977年の新生児マススクリーニング開始後，1980年に特殊ミルク事務局による供給事業が開始されています．先天代謝異常症だけでなく，内分泌，消化器，腎，神経の領域でも特殊ミルクの有効性が報告され，先天代謝異常症を対象とした登録特殊ミルクと，それ以外の疾患を対象とした登録外特殊ミルク，医師の処方を必要とする医薬品，薬局で購入できる市販品の4つが特殊ミルクとして用いられています．

そのなかでも，登録特殊ミルクと登録外特殊ミルクは，特殊ミルク事務局に申請すると無償で提供されます．対象となる疾患は「特殊ミルク情報」に掲載されており，対象疾患以外には供給されない仕組みがあります．市販品は，乳糖不耐症，ミルクアレルギー，難治性下痢症，脂質吸収障害などを対象疾患としており，薬局で購入することができ，医師の指導のもとで使用する必要があります．

登録品の約半額分，登録外品の全額分は，乳業メーカーが負担しており，登録品の約半額分は公費による負担がなされています．登録，登録外の特殊ミルクは，主治医が特殊ミルク事務局に申請し，事務局から主治医宛に送られています．特殊ミルクは20歳までの供給を原則としていますが，代替品の供給が乏しいことから，20歳以降の患者でも主治医からの申請があれば継続されます．もともと乳児用に調合されたミルクなので，組成やカロリーなども乳児用に合わせてあります．そのため，小児期から成人期にも使用する場合には，主治医や栄養士と相談してください．

参考文献
・特殊ミルク共同安全開発委員会広報部会（編）：特殊ミルク情報第56号．特殊ミルク事務局，2021
・日本小児医療保健協議会(四者協)治療用ミルク安定供給委員会（編）：特殊ミルク治療ガイドブック．診断と治療社，2020

（中村　公俊）

アレルギー
0〜4か月

Q23 新生児や乳児の消化管アレルギーとはどのようなものですか？

A 牛乳などの食物を原因とし嘔吐，血便，下痢などの消化器症状により発症する，非IgE依存性アレルギーの疾患群です．これまで"消化管アレルギー"と呼称されていましたが，新たに新生児・乳児食物蛋白誘発胃腸症と命名，再定義されました．

関連質問 Q.24, 25

Key word 消化管アレルギー，新生児・乳児食物蛋白誘発胃腸症，非IgE依存性アレルギー

解説

新生児・乳児食物蛋白誘発胃腸症は，主に生まれてすぐの新生児から乳児期に，牛乳などの食物を原因とし嘔吐，血便，下痢などの消化器症状で発症します．これまで"消化管アレルギー"と呼称されていましたが，新たに新生児・乳児食物蛋白誘発胃腸症と命名，再定義されました[1,2]．食物アレルギーは抗原特異的IgE抗体の病態への関与の違いでIgE依存性，非IgE依存性に分けられます．代表的なIgE依存性が即時型食物アレルギーですが，新生児・乳児食物蛋白誘発胃腸症は非IgE依存性アレルギーの疾患群で，蕁麻疹や咳・喘鳴などの即時型食物アレルギー（IgE依存性）の症状がないことが特徴の1つです[3]．また即時型食物アレルギーで使用される治療薬〈抗ヒスタミン薬，アドレナリン筋肉注射（エピペン®）〉は，新生児・乳児食物蛋白誘発胃腸症の症状に対し効果が乏しいことに注意が必要です．

新生児・乳児食物蛋白誘発胃腸症は，食物摂取から症状の出現までの時間が短いグループ（急性の経過），症状の出現まで時間がかかるグループ（慢性の経過）へ大きく分けられます[2,3]．①原因と疑う食物を除去して症状が改善すること（食物除去試験），②原因と疑う食物を再度開始すると再び症状が出現すること（食物負荷試験），③他の疾患にあてはまらないこと，をもとに確定診断します．新生児・乳児では消化器症状や体重増加不良を生じる疾患がほかにも数多く存在するため，他の疾患を十分に鑑別することが重要です．長期的な治療は原因食物の除去です．3歳頃までに症状なく食べられるようになることが多いと報告され[3,4]，原因食物が食べられるようになったか，定期的な見直しが必要です．

文献

1) 海老澤元宏，他（監修），日本小児アレルギー学会食物アレルギー委員会（作成）：食物アレルギー診療ガイドライン2021．協和企画，2021
2) 厚生労働省好酸球性消化管疾患研究班，日本小児アレルギー学会，日本小児栄養消化器肝臓学会（作成）：新生児・乳児食物蛋白誘発胃腸症診療ガイドライン（実用版），2019
3) Jean-Christoph Caubet, et al.：Non-IgE-mediated gastrointestinal food allergies in children. Pediatr Allergy Immunol 2017；28：6-17
4) Kimura, et al.：Prognosis of infantile food protein-induced enterocolitis syndrome in Japan. Pediatr Int 2017；59：855-860

（佐藤 未織，山本 貴和子）

アレルギー
0〜4か月

Q 24
ミルクで下痢をしています．アレルギー用ミルクに変えたほうがよいですか？

A
新生児〜乳児早期は通常でも便がゆるいことがあり，まず病的な下痢かどうかの判断が必要です．普通ミルクが原因である病的な下痢の場合は，医師の指示のもとで普通ミルクから牛乳アレルゲン除去食品（加水分解乳，アミノ酸乳，または調整粉末大豆乳）へ変更することがあります．

関連質問 Q 23, 91

Key word 下痢，新生児・乳児消化管アレルギー，新生児・乳児食物蛋白誘発胃腸症

解説

腸管で適度に水分が吸収できず，液状となって便が排出された場合に下痢といいます．腸管がまだ十分に発達していない新生児期や補完食開始前の乳児早期では，通常でも便が水様〜泥状で便回数も多いため，正常の便か下痢かを区別するのは難しいです．生理的なものであれば，下痢というよりも「うんちがゆるい」「軟便」といえます．赤ちゃんが普段と変わらず元気で機嫌がよく食欲があれば，経過観察も可能です．2週間以上長引くような下痢の場合，小児科で遭遇することが多いのは，胃腸炎後などの二次性乳糖不耐症（ミルクなどに含まれる乳糖を分解・吸収できなくなって浸透圧性下痢が起こる）です[1]．二次性乳糖不耐症の場合，通常は可逆的ですので，症状に応じて一時的に乳糖除去乳もしくは乳糖分解酵素を投与し，経過をみて普通ミルクに戻します．

元気がなく機嫌も悪く，嘔吐，血便，体重増加不良などを伴うような病的な下痢の場合は，新生児・乳児消化管アレルギー（新生児・乳児食物蛋白誘発胃腸症）など多くの疾患が鑑別にあがります[2,3]．普通ミルクに対するアレルギー反応が原因か判断が難しいこともありますが，その可能性が否定できない場合は，医師の指示のもとで普通ミルクを中止し牛乳アレルゲン除去食品（加水分解乳，アミノ酸乳，または調整粉末大豆乳）に変更することがあります．その場合は特定の栄養素欠乏に注意し，適宜栄養素の内服や補助食品などを併用します．また，多くの場合，成長とともに消化管が成熟し，普通ミルクに対して症状を起こしにくくなっていくので，定期的な摂取内容の見直しが必要です．

文献

1) 虻川大樹：慢性下痢．小児科診療 2021；84suppl：260-263
2) 海老澤元宏，他（監修），日本小児アレルギー学会食物アレルギー委員会（作成）：食物アレルギー診療ガイドライン 2021．協和企画，2021
3) 厚生労働省好酸球性消化管疾患研究班，日本小児アレルギー学会，日本小児栄養消化器肝臓学会（作成）：新生児・乳児食物蛋白誘発胃腸症診療ガイドライン（実用版），2019

（佐藤 未織，山本 貴和子）

アレルギー
0〜4か月

Q25 アレルギー用ミルクを使用すると，アレルギー発症を予防できますか？

A 新生児期や乳児期早期にアレルギー用ミルクを使用したとしても，その後のアレルギー疾患の発症が必ずしも予防できるわけではなく，アレルギー予防策として強く推奨はされません．

関連質問 Q 23, 24, 91

Key word アレルゲン除去調製粉乳，食物アレルギー，発症予防

解説

アレルギー用ミルクは，牛乳アレルギーの患者が症状を起こさないようにするための治療用ミルクです．そのアレルゲン性の程度によっていくつかの種類に分類されます（表）．[1] 加水分解乳とは，牛乳たんぱくを酵素によって加水分解し，アレルギーを誘発しないように加工された牛乳アレルゲン除去調製粉乳です．表にあげたほかに部分加水分解乳（ペプチドミルクE赤ちゃん®（森永乳業））が市販されていますが，分子量の大きいペプチドが含まれているため，牛乳アレルギー患者用とは位置づけられていません．

古い欧米のガイドラインには，アレルギーハイリスク児（親や兄弟などにアレルギー疾患がある）に対する加水分解乳のアレルギー疾患予防効果が記載されていましたが，近年のシステマティック・レビューやメタ解析で，新生児期や乳児期早期に加水分解乳や大豆乳を使用したとしても，その後のアレルギー疾患の発症が予防できないことが報告されており，アレルギー疾患の発症予防を目的としたアレルギー用ミルクの使用は推奨されていません[1-3]．

ただし生後3日間までは，普通の粉ミルクよりもアミノ酸乳を与えたほうが牛乳アレルギーの発症が少なかったという報告があります[4]．

表 ミルクアレルゲン除去食品

分類	加水分解乳		アミノ酸乳	調整粉末大豆乳
商品名	ミルフィーHP®	ニューMA-1®	エレメンタルフォーミュラ®	和光堂ボンラクト®i
メーカー	明治	森永乳業	明治	アサヒグループ食品
標準調乳濃度	14.5%	15%	17%	14%
最大分子量(Da)	3,500	1,000	アミノ酸	—
浸透圧(mOsm/kg/H₂O)	280	320	400	290
原材料	乳清分解物	カゼイン分解物	精製結晶L-アミノ酸	分離大豆タンパク

（海老澤元宏，他（監修），日本小児アレルギー学会食物アレルギー委員会（作成）：食物アレルギー診療ガイドライン2021．協和企画，2021 より一部引用）

アレルギー
0〜4か月

📖文献

1) 海老澤元宏, 他(監修), 日本小児アレルギー学会食物アレルギー委員会(作成):食物アレルギー診療ガイドライン 2021. 協和企画, 2021
2) 厚生労働省:授乳・離乳の支援ガイド(2019年改定版). 2019
3) Osborn DA, et al.:Infant formulas containing hydrolysed protein for prevention of allergic disease and food allergy. Cochrane Database Syst Rev 2017;15;3:CD003664
4) Urashima M, et al.:Primary Prevention of Cow's Milk Sensitization and Food Allergy by Avoiding Supplementation With Cow's Milk Formula at Birth:A Randomized Clinical Trial. JAMA Pediatr 2019;173:1137-1145

〔佐藤 未織, 山本 貴和子〕

アレルギー
0〜4か月

Q26
アレルギー疾患がある母親の場合，授乳期の栄養面で注意することはありますか？

A
母親にアレルギー疾患があることで授乳中に行うべき特殊な栄養法は特にありません．アレルギーのない方と同じようにバランスのよい食事を心掛けてください．

関連質問 Q 9, 25, 27　　**Key word** 授乳期の栄養

解説

アレルギーがあることで授乳中に避けるべき食材はありません．逆に，これを食べれば乳児のアレルギーを防げるという食品も残念ながらありません．卵，牛乳，小麦といった乳児の食物アレルギーの原因として頻度の高い食品も含め，授乳中の食事の除去は推奨されておらず，バランスのよい食事を心掛けてください[1,2]．

母乳栄養は人工栄養と比較し，鉄，カルシウム，リン，ビタミンDが少ないため，離乳食の導入が遅れたりすると欠乏することがあります．欠乏が疑われるときは医師の指示に従い，適切に補充をする必要があります[2]．

妊娠中や授乳中に母親がドコサヘキサエン酸（docosahexaenoic acid：DHA，魚油に多く含まれる）を摂取すると，乳児〜幼児期の食物アレルギーやアトピー性皮膚炎の発症が抑制されたという報告が一部にありますが（Q9参照），長期的に観察すると予後は変わらず，現時点では有効性は明らかになっていません．

母乳中には母親の摂取した食品のたんぱく質がごく微量分泌されることがわかっていますが，同時にアレルギーを抑制するサイトカインであるトランスフォーミング増殖因子（TGF）-βも含まれることがわかっており[3]，免疫寛容を導く可能性も近年示唆されています．お子さんにアトピー性皮膚炎があり，適切なスキンケアや薬物療法でも症状が改善せずステロイド外用薬の連日塗布が続く場合や，母が特定の食物を摂取した後に授乳すると皮膚が悪化する場合に，食物アレルギーが関与するアトピー性皮膚炎を疑い医師が特定の食物の除去を指示することがありますが，自己判断による予防的な除去は行うべきではありません．

文献
1) 海老澤元宏，他（監修），日本小児アレルギー学会食物アレルギー委員会（作成）：食物アレルギー診療ガイドライン2021．協和企画，2021
2) 厚生労働省：授乳・離乳の支援ガイド（2019年改定版）．2019：19-20
3) Kalliomäki M, et al.：Transforming growth factor-β in breast milk：a potential regulator of atopic disease at an early age. J Allergy Clin Immunol 1999；104：1251-1257

（森田 久美子）

アレルギー
0〜4か月

Q27 母乳栄養中の除去食は必要ですか？ どのように行いますか？

A アレルギー疾患の発症予防のための母乳栄養中の除去食は推奨されておりません．食物アレルギーが関与するアトピー性皮膚炎と診断された場合は，医師の指示のもと原因食品の除去が必要になることがあります．

関連質問 Q 24, 25　　🔍 **Key word** 母乳中の抗原，母乳栄養

　妊娠中の食事制限によりアレルギー疾患を予防できるという根拠はなく推奨しませんが，授乳中はどうでしょうか．結論を先に示しますと，2014年のヨーロッパアレルギー学会(European Academy of Allergy and Clinical Immunology：EAACI)の勧告[1]，2021年のべう米国アレルギー学会(American Academy of Allergy, Asthma, and Immunology：AAAAI)[2]，2021年の日本小児アレルギー学会の食物アレルギー診療ガイドライン[3]のすべてにおいて，両親または同胞にアレルギー疾患の方がいるハイリスク児であっても，発症予防を目的とした食事制限は推奨しないとしています．

　母親が摂取した食物抗原は，母乳中に数十 ng/mL 以下ではありますが分泌されます．これは母親が摂取した量の10万分の1〜100万分の1であり，母乳を1日1L飲んだとしてもその摂取量は数十 μg とごくわずかです．

　近年，経口的に赤ちゃんの身体に入ってくる母乳中の，このわずかな抗原がアレルギー反応を抑制するように働く可能性も考えられており，予防的な除去がアレルギー疾患の発症予防に有効ではないことがわかっていることも踏まえると，むしろ栄養が偏らないようバランスよく食事をすることが重要と考えられます．

　一方，食物アレルギーが関与するアトピー性皮膚炎と診断された場合は，治療のために授乳中の母親にも原因食品を除去するよう医師から指示がでることがあります．不必要で過剰な除去にならないよう，必ず独自の判断ではなく医師の指示のもと除去を行ってください．

📖 文献

1) Muraro A, et al.：EAACI Food Allergy and Anaphylaxis Guidelines. Primary prevention of food allergy. Allergy 2014：69：590-601
2) Fleischer DM, et al.：A consensus Approach to the Primary Prevention of Food Allergy Through Nutrition：Guidance from American Academy of Allergy, Asthma and Immunology：American College of Allergy, Asthma, and Immunology and the Canadian Society for Allergy and Clinical Immunology. J Allergy Clin Immunol Pract 2021；9：22-43
3) 海老澤元宏，他(監修)，日本小児アレルギー学会食物アレルギー委員会(作成)：食物アレルギー診療ガイドライン 2021．協和企画，2021

（森田 久美子）

歯科
0〜4か月

Q.28 魔歯（先天歯）が生えていますが，処置が必要ですか？

A 授乳中で母親の乳首を傷つけたり，新生児（乳児）の舌下面の軟組織に褥瘡性潰瘍ができてしまうなどのトラブルがなければ，そのまま放置して構いません．もしトラブルが発生するならば，その様相に応じて処置しますが，まずは歯の研磨，次に切削，最後は抜歯になるでしょう．

関連質問 Q.62　　🔍 **Key word** 魔歯，先天歯，Riga-Fede 病

解説

　出生時すでに萌出している歯を「先天歯」といい，生後1か月以内に萌出してくる歯を新生児歯といいます．昔は不思議な歯ということで「魔歯」とよんでいたようです．主に下顎の前歯が多いようで（図），授乳中の時期に母親の乳首を傷つけて授乳困難になったり，新生児や乳児の舌下部の粘膜が先天性歯に擦られて褥瘡性潰瘍になる「Riga-Fede 病」とよばれる状態になる場合もあります．そのような場合は，対症療法的に処置が必要になります．まずは，歯の鋭縁を研磨したり，削去したりして様子をみますが，それでも軽快しなければ抜歯もやむをえない場合があります．生えてきたばかりの歯を抜くことは保護者にとってとてもつらいことですが，多くの場合，先天性歯はエナメル質や象牙質の減形成や石灰化不全も多く，奇形歯などは自然脱落することもあるので保護者によく納得してもらい，抜歯をします．原因を除去すれば，母親の乳首や乳児の褥瘡性潰瘍はすぐに治癒します．

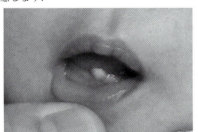

図　生後2週間目の先天性歯
（田岡郁敏先生〈和歌山県海南市　田岡歯科医院〉のご厚意による）

📖 参考文献

- 日本小児歯科学会（編）：親と子の健やかな育ちに寄り添う 乳幼児の口の歯の健診ガイド 第3版．医歯薬出版，2019；31-32
- 日本小児歯科学会（編）：小児歯科学専門用語集 第2版．医歯薬出版，2020；63，65，101
- 全国歯科衛生士教育協議会（監修）：最新歯科衛生士教本 小児歯科 第2版．医歯薬出版，2021；40，75，76

（丸山　進一郎）

歯科
0～4か月

Q.29 舌小帯が短くて母乳が飲みにくそうです．切除したほうがよいですか？また成長後の咀嚼や発音への影響はありますか？

A 日本小児科学会，日本小児外科学会において，口腔底に癒着した重症例を除き，哺乳のための舌小帯短縮症手術は必要ないとの見解がだされています．

関連質問 Q.64　　🔍 **Key word** 舌小帯短縮症，哺乳，小帯切除

解説

新生児の舌小帯短縮症（図1）

哺乳は，乳汁でいっぱいになった乳房を少し円錐形に押しつぶし，乳首を乳児の口腔内奥深くに押し込んで，乳児からすると乳房にかぶりつき，乳首を口蓋窩（図2）まで引き寄せて，舌で乳首から乳輪部あたりを前後運動で刺激しながら乳汁分泌の促進が行われています．この際，舌の前後運動は口唇外に及ぶことはなく口腔内での運動になります．口蓋との圧迫も，乳首が介在しますので歯槽堤の高さあたりまで舌が上がれば圧迫は可能と思われます．乳房が張った状態でそのまま乳首を含ませると，乳児はより大きく口を開けることになり，あるいは乳首が口腔内深くに挿入されず，舌の挙上が難しい場合は口蓋との圧迫が弱く，乳汁分泌の効率が悪くなります．したがって，赤ちゃんが舌小帯短縮症の場合は，例えば口唇がラッパのように外に開いて乳房を捉えているか（図3）など，哺乳の仕方を工夫してあげることが重要です．舌小帯切除は行いません．

咀嚼能率や構音障害との関係

当科で行った咀嚼能率に関する研究データ[1,2]では，舌小帯短縮症中等度の症例に対し，小帯手術前後の舌骨上筋群の筋活動量を測定すると，術後は明らかに著しい改善がみられます．咀嚼中は舌の動きが咀嚼能率に大きくかかわることから，咀嚼能率には影響があるものと思われます．しかし患児の自覚では咀嚼しにくいといった訴えは少なく，特に体重や発育に影響を及ぼすといった報告はありません．

図1 新生児の舌小帯短縮症（中等度）

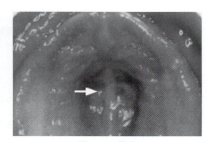

図2 口蓋窩

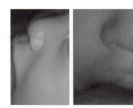

図3　上口唇が開いている状態

授乳指導
・唇はラッパ型になっているか．
・赤唇はめくれているか？

　構音障害では「滑舌が悪い」「早口ことばが言えない」といった症状を訴えます．タ行音やサ行音を発音するときに，舌を上下の前歯の間に挟んで発音したり，ラ行音が続く単語や速い会話だと発音が不明瞭になる，などの発音障害が認められます．これも軽度の場合は，言語聴覚士による訓練のみで回復することが報告されています．切除後も習慣的に会得した発音が残ることから，術後の訓練が必要といわれています．

　舌小帯の切除に関しては，4〜5歳になってから，小児歯科，口腔外科で検査を受けてください．特に発音障害は小児専門の言語聴覚士のいる病院でのご相談をおすすめします．

📖 文献

1) 鈴木　亮：舌小帯短縮症の構音障害と咀嚼障害に関する研究．明海歯学 2017；46：91-98
2) Oguchi H：Influence of tongue movements on masticatory efficiency. Dent Oral Craniofac Res 2016；2：1-6

（渡部　茂）

5〜11か月
（乳児中期〜後期）

栄 養
5〜11か月

Q 30 離乳食の開始前に，準備したり気をつけておくことはありますか？

A 離乳開始前には，授乳時刻を約4時間おきに調整し，乳児の生活リズムを形成しておくことが重要です．離乳開始前に果汁を与えたり，スプーンに慣らしておく必要はありません．

関連質問 Q 31

Key word 離乳食，授乳間隔，果汁

解説

離乳食開始前に，授乳時刻が不規則であると，食欲不振になったり，離乳食が順調に進まなかったりすることがあります．そこで離乳開始前に，授乳時刻を約4時間おきに調整し，乳児の生活リズムを形成しておくことが重要です．

離乳の開始前の子どもにとって，最適な栄養源は乳汁（母乳又は育児用ミルク）であり，離乳の開始前に果汁やイオン飲料を与えることの栄養学的な意義は認められていません[1]．イオン飲料は，授乳期及び離乳期を通して基本的に摂取の必要はなく，必要な場合は，医師の指示に従うことが大切です．イオン飲料の多量摂取による乳幼児のビタミン B_1 欠乏が報告されています[1]．

蜂蜜は，乳児ボツリヌス症を引き起こすリスクがあるため，1歳を過ぎるまでは与えてはいけません[1]．

なお，咀嚼機能の発達の観点からも，通常は生後5〜7か月頃にかけて哺乳反射が減弱・消失していく過程でスプーンが口に入ることも受け入れていきますので，スプーンなどの使用は離乳開始以降で構いません．

文献
1) 厚生労働省：授乳・離乳の支援ガイド（2019年改定版）．2019：30

（堤　ちはる）

栄養
5〜11か月

Q.31 離乳開始時期はどのように決めればよいですか？ 基準やサインはありますか？

A 離乳開始時期は，生後5〜6か月頃が適当です．発達の目安としては，首のすわりがしっかりして寝返りができ，5秒以上座れる，スプーンなどを口に入れても舌で押し出すことが少なくなる（哺乳反射*の減弱），食べものに興味を示すなどがあげられます．

関連質問 Q.30　　**Key word** 離乳，哺乳反射

解説

離乳の開始とは，なめらかにすりつぶした状態の食物を初めて与えたときをいいます．その時期は，健康な乳児であれば5〜6か月頃が適当です．

発達の目安としてあげられている首のすわりや5秒以上座れるについては，食べ物を摂取する際の体位保持に重要です．5秒以上というのは，5秒程度の短時間と読み替えることができます．寝返りを始める時期は，一般的に生後5〜6か月が目安です．しかし，寝返りができるようになる時期は，3〜10か月くらいまでと幅が広く，個人差があります．そこで，他の発達の目安がみられたら，寝返りができるようになるまで離乳開始を遅らせる必要はありません．

「食べものに興味を示す」とは，食事をとっている人を乳児がじっと見たり，口をもぐもぐ動かしたり，よだれを出したりする姿をいいます．

「スプーンなどを口に入れても舌で押し出すことが少なくなる（哺乳反射の減弱）」ことについての補足説明です．乳児は生後すぐに自分の意思とは無関係の反射（哺乳反射）によって乳汁を飲み始めます．哺乳反射は，生後4〜5か月頃から少しずつ薄れ，生後5〜7か月頃には消失していきます．その頃から，乳汁摂取時の動きも，ほとんど乳児自身の意思によってなされるようになり，哺乳量を調節する能力がついてきます．そこで，哺乳反射による動きが少なくなってきたら，離乳を開始するのが母子双方にとって負担が少ないと考えられます．

参考文献
・厚生労働省：授乳・離乳の支援ガイド（2019年改定版）．2019；30

（堤　ちはる）

栄養
5〜11か月

Q32
母乳栄養児は，離乳期に鉄欠乏性貧血に気をつけるようにいわれましたがなぜですか？

A
生後5か月頃までは，母親からの貯蔵鉄がありますが，それ以降は貯蔵鉄が不足します．そこで，母乳栄養児は，鉄欠乏性貧血発症リスクを低減させるために，適切な時期（生後5〜6か月頃）に離乳を開始し，鉄の多い食品を離乳食に積極的に利用することが勧められます．

関連質問 Q.33, 34　　**Key word** 母乳栄養児，貯蔵鉄，鉄欠乏性貧血

解説

母乳栄養の場合，母乳中の鉄含有量が少ないために（図），生後6か月の時点でヘモグロビン濃度が低く，鉄欠乏を生じやすいとの報告があります[1)2)]．また，月齢が進むにつれ，鉄欠乏のリスクが高まることも報告されています[3)]．

そこで，母乳栄養の場合は，適切な時期（生後5，6か月）に離乳を開始し，鉄の供給源となる食品を積極的に摂取することが重要です．しかし，例えば鶏レバーは大人の常用量が60gです．1〜2歳児の推奨量（4.5 mg/日）を摂取するためには50g摂取する必要があります．この量は，離乳期の子どもが摂取するには過大量であり，また，ビタミンAの耐容上限量600μgRAE/日を超過します．

そこで，レバーなど耐容上限量が気になる特定の食品に偏ることなく，さまざまな食品からの鉄の摂取が勧められます．それに加えて，鉄が添加されている育児用ミルクやフォローアップミ

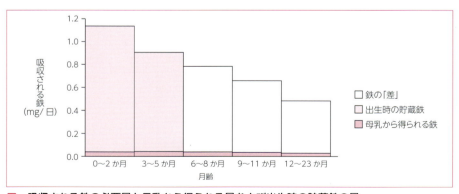

図　吸収される鉄の必要量と母乳から得られる量および出生時の貯蔵鉄の量
（WHO：補完食 母乳で育っている子どもの家庭の食事，日本ラクテーション・コンサルタント協会，2006 〈http://apps.who.int/iris/bitstream/handle/10665/66389/WHO_NHD_00.1_jpn.pdf;jsessionid=E83633FD0440CE3D6E064791979E8382?sequence=2〉2022年6月26日閲覧）

栄養 5〜11か月

ルクを料理素材として利用することも提案されます．母乳，育児用ミルク，フォローアップミルク，牛乳の主な成分の比較を表に示します．育児用ミルク，フォローアップミルクを料理素材として利用するのであれば，母乳育児の母子ともに抵抗は少ないと思われます．なぜなら，母乳栄養で育てている母親のなかには，母乳中に鉄が少ないことは，頭では理解していても，「母乳が不足しているわけではないのに，なぜ，育児用ミルクやフォローアップミルクを飲ませなければいけないのか」と，心理的に抵抗感をもつ母親もいることが推察されます．また，子どもも哺乳瓶の乳首を嫌ったり，母乳以外の乳汁の味を好まなかったりする場合もあるからです．

なお，離乳期は，さまざまな味を体験することにより，味覚の幅を広げる重要な時期ですから，いつもミルク味の料理ばかりというのは好ましくありません．また，鉄以外の栄養素を含んでいたり，エネルギーも付与されるので，過剰摂取には注意する必要があります．そこで，育児用ミルク，フォローアップミルクの料理素材としての利用は，総合的な判断のもと，適切な利用が望まれます．

表 母乳，育児用ミルク，フォローアップミルク，牛乳の主な成分の比較

100mLあたり	エネルギー (kcal)	たんぱく質 (g)	脂質 (g)	鉄 (mg)	カルシウム (mg)	ビタミンD (μg)
母乳[1]	61	1.1	3.5	*0.04	27	0.3
育児用ミルク[2)3)]	66.4〜68.3	1.43〜1.60	3.51〜3.61	0.78〜0.99	44〜51	0.85〜1.2
フォローアップミルク[4)5)]	64.4〜66.4	1.96〜2.11	2.52〜2.95	1.1〜1.3	87〜101	0.66〜0.98
牛乳[1]	61	3.3	3.8	*0.02	110	0.3

＊Trであるが，利用上の便宜のため小数第2位まで記載
1) 日本食品標準成分表2020年版(八訂)．2020 より著者作成
2) 母乳の代替品として飲用に供する乳児用調製粉乳及び乳児用調製液状乳をいう．
3) 和光堂レーベンスミルクはいはい®(アサヒグループ食品)，ほほえみ®(明治)，はぐくみ®(森永乳業)®，赤ちゃんが選ぶアイクレオのバランスミルク®(アイクレオ)，すこやかM1®(雪印ビーンスターク)，ぴゅあ®(雪印メグミルク)，12.7〜13%調乳液
4) 乳等省令で定められる調製粉乳で，9か月齢以降の乳児を対象とするもの(いわゆるフォローアップミルク)と1〜3歳の幼児を対象とするものがある．
5) 和光堂フォローアップミルクぐんぐん®(アサヒグループ食品)，ステップ®(明治)，チルミル®(森永乳業)，アイクレオのフォローアップミルク®(アイクレオ)，つよいこ®(雪印ビーンスターク)，たっち®(雪印メグミルク)，13.6〜14%調乳液

📖 文献・参考文献

1) Isomura H, et al. : Type of milk feeding affects hematological parameters and serum lipid profile in Japanese infants. Ped Int 2011 ; 53 : 807-813
2) Hirata M, et al. : Risk factors of infant anemia in the perinatal period. Pediatr Int 2017 ; 59 : 447-451
3) Amano I, et al. : Prevarence of infant and maternal anemia during the lactation period in japan. Pediatr Int 2019 ; 61 : 495-503
・ 厚生労働省：授乳・離乳の支援ガイド(2019年改定版)．2019 ; 32

(堤 ちはる)

栄養
5〜11か月

Q33
くる病とはどのような病気ですか？予防するために気をつけることはありますか？

A
くる病とは，乳幼児期にカルシウムやリンが骨基質に十分に沈着せず，骨塩が不十分で強度の弱い骨ができる病気です．症状としては，頭蓋骨を指で押しただけでへこむほど柔らかい，乳歯の生えるのが遅い，下肢が曲がりO脚やX脚になる，身長が伸びないなどがあげられます．予防には，ビタミンDの多い食品の摂取や適度な日光浴が勧められます．

関連質問 Q.32, 34

Key word ビタミンD，紫外線曝露

解説

くる病の原因は，母乳栄養，日光曝露不足，アレルギーによる食事制限などがあげられます（表1）[1]．母乳栄養では，母乳中のビタミンD含有量が少ないために（Q32の表参照），適切な時期に離乳を開始し，鉄とともにビタミンDの供給源となる食品（表2）を積極的に摂取することが重要です[2]．

ビタミンDは，紫外線曝露により皮下で合成されます．近年，紫外線による皮膚がんのリスクや皮膚老化のリスクを過度に気にかける傾向があります．このため，紫外線曝露を避けるように推奨する風潮があり，くる病が増加傾向にあります．しかし，ビタミンD不足およびくる病

表1　くる病の主たる原因（全症例，n＝166）

主たる原因	主たる原因の記載あり	くる病あり	％
母乳栄養	124	83	66.9
日光曝露不足	97	57	58.8
アレルギーによる食事制限	165	39	23.6
離乳開始の遅れ，離乳遅延	119	28	23.5
自然食，菜食主義	92	13	14.1
母のビタミンD不足	109	9	8.3
偏食・小食	109	8	7.3
基礎疾患	109	6	5.5
虐待（ネグレクト）	109	2	1.8

主たる原因として，早産児，低出生体重児症例は除いた．重複例含む．
（時田万英，他：離乳遅延と日光浴不足により発症したビタミンD欠乏性のくる病の1幼児例〜本邦報告例（166例）の検討．日小児栄消肝会誌 2018；32：1-7をもとに著者作成）

栄養
5〜11か月

表2 ビタミンDを多く含む食品

食品	常用量（可食部）	ビタミンD含有量 μg
鮭（しろさけ）	1切：80 g	25.6
さんま	1尾：100 g	16.0
まがれい	小1尾：100 g	13.0
ぶり	1切：80 g	6.4
まあじ	1尾：80 g	6.3
しらす干し（半乾燥品）	大さじ2：10 g	6.1
さば（まさば）	1切：80 g	4.1
卵	1個：65 g	2.5
きくらげ（乾燥）	2個：2 g	1.7
椎茸（乾燥）	2個：6 g	1.0
エリンギ	1/2パック：50 g	0.6
椎茸（生）	2個：30 g	0.1

（日本食品標準成分表2020年版〈八訂〉．2020をもとに著者作成）

の発症予防のためには，適度に日光を浴びることも大切です．なお，ガラス越しに日光を浴びても，皮下でビタミンDの合成は期待できません．

📖 文献

1) 時田万英，他：離乳遅延と日光浴不足により発症したビタミンD欠乏症くる病の1幼児例〜本邦報告例（166例）の検討．日小児栄消肝会誌 2018；32：1-7
2) 厚生労働省：授乳・離乳の支援ガイド（2019年改定版）．2019：32

（堤　ちはる）

栄養
5〜11か月

Q34 フォローアップミルクは飲ませたほうがよいですか？

A フォローアップミルクは，離乳期以降の栄養補給を目的とした牛乳の代替品で，母乳や育児用ミルクの代替品ではありません．必ず飲ませる必要はなく，離乳食が順調に進まず，鉄不足のリスクが高い場合などに使用するのであれば，9か月以降とします．

関連質問 Q.32, 33　　🔍 **Key word**　フォローアップミルク，鉄欠乏性貧血

解説

　フォローアップミルクは，牛乳に不足している鉄とビタミンを補給し，牛乳で過剰になるたんぱく質，ミネラルを減らした牛乳の代替品です．育児用ミルクと異なり，亜鉛と銅は添加されていません．育児用ミルクと比較すると，たんぱく質，カルシウム，鉄，ビタミン類が多いです(Q32の表参照)．フォローアップミルクは母乳代替食品ではなく，離乳が順調に進んでいる場合は，摂取する必要はありません．離乳が順調に進まず鉄欠乏のリスクが高い場合や，適当な体重増加が見られない場合には，医師に相談します．そのうえで，必要に応じてフォローアップミルクを活用すること等を検討します[1]．

　乳児は誕生時に母親からもらった貯蔵鉄が，生後5か月頃まではありますが，それ以降は貯蔵鉄がほとんどなくなります(Q32の図参照)．母乳中の鉄は育児用ミルク中の鉄に比べて吸収率は高いのですが，含有量が少ないので，生後6か月を過ぎても，母乳のみ，あるいは母乳と鉄を含まない離乳食を与えていると，鉄欠乏状態になるリスクが高まります．そこで，生後7か月頃からは，鉄の含有量が多い食品，例えば，赤身の肉，レバー，赤身の魚，特に血合の部分などを，離乳の進行に伴って，乳児の状況に合わせて与えるようにします．なお，鉄の多い上記のような食品が苦手な乳児には，フォローアップミルクは「鉄を含む液体の離乳食」と位置づけて，利用することもできます．

📖 **文献**
1) 厚生労働省：授乳・離乳の支援ガイド(2019年改定版)．2019：32

（堤　ちはる）

栄養
5〜11か月

Q35 嫌がって食べないものを上手に食べさせる方法はありますか？

A まず大人がおいしそうに食べるのを見せます．見慣れないことや食べ慣れないことで，最初のひとさじを嫌がることがあるので発達に合わせて調理法を変え，回数を重ねていくことで食べ慣れていきます．大きさや固さは口腔機能の発達に合わせ，味付けや与え方を工夫します．

関連質問 Q.13, 107　　**Key word** 大きさ，味付け

 解説

　見慣れないことや食べ慣れないことで，最初のひとさじを嫌がることがあります．まずは，食事の前は空腹にして，大人が食事をおいしそうに食べている姿を見せることが大切です（Q107参照）．「おいしいよ」とやさしく誘ったり，おいしそうに食べる真似をして不安感を取り除きます．食べないからと使用しないのではなく，調理法を変えながら回数を重ねていくことで食べ慣れていきます．

　発達には個人差があるので，口の動きや歯の本数を見ながら軟らかさやとろみ，大きさを調整していきます．軟らか過ぎても固過ぎても嫌がることがあります．素材や調理法で大きさを調整しますが，固過ぎるようなら手元でつぶしたり，味噌汁の上澄みなどで粘度を調整します．味を嫌がることもありますが，子どもは甘味とうま味は好きなので，野菜を煮るときにはだしを使うとよいでしょう．9か月頃からは，バター，醤油，味噌などの調味料で味に少し変化をつけると食べやすくなります．

　また，与え方により嫌がることもあります．まず食べものを目でとらえさせて，優しく言葉かけをしながら誘います．口の奥にスプーンを入れ過ぎるとかえって食べづらいので，ゆっくりと唇でとらえるのを待ちます．最初から嫌がる場合は他の食材にして，食べられるようになる時期を待つことも大切です．

参考文献
- 母子衛生研究会：赤ちゃん＆子育てインフォ．（https://www.mcfh.or.jp/）2022年8月24日閲覧
- 太田百合子：やさしくわかる月齢別離乳食のきほん事典．西東社，2015

（太田　百合子）

栄養
5～11か月

Q36 便秘や下痢をしているときは，どのような離乳食がよいですか？

A 便秘のときは，水分補給と離乳食の進み方に合わせて食物繊維を多く含む食品を，9か月以降には適度に脂質量を増やします．下痢のときは，水分補給と炭水化物を中心とする和食を意識した食物繊維の少ない食品と脂肪の少ないものにします．

関連質問 Q.86　　**Key word** 水分補給，食物繊維，脂肪

解説

　乳児の便秘の多くは，母乳・ミルク不足，水分不足が考えられます．水分補給には，リンゴ，みかん，プルーンなどの100%果汁を使用します．糖分やペクチンの働きが便を軟らかくします．2倍に薄めて1日30～50 mLを目安に飲ませます．あるいは，マルツエキス（麦芽糖）の糖分を一時的に補います．離乳食の進み方に合わせて，イモ類（里芋，長芋など），納豆，きな粉，海藻類（わかめ，ひじき，のり，寒天など），野菜（トウモロコシ，ゴボウ，オクラ，モロヘイヤなど），コンニャク類，キノコ類，ヨーグルト，果物などを試します．9か月以降には，バター，サラダ油などの脂質も有効です．消化のよいものばかりや，食物繊維が多過ぎても便秘になりやすいので適度な量にします．カボチャ，サツマイモなどは腸内で発酵するとガスが腸を刺激するので，少量に留めましょう．1週間以上便秘が続くようであれば医師に相談します．

　下痢時の水分補給は，電解質飲料，水，麦茶，味噌汁などが中心になります．柑橘系果汁や糖分の多い飲み物（Q86参照）は好ましくありません．食事は，炭水化物（ご飯，うどん，食パンなど）が中心で，和食を意識した食物繊維の少ない野菜などの煮物，味噌汁などにします．たんぱく質は，白身魚や豆腐，鶏のささ身など，脂肪の少ないものにします．

　下痢の回数が多かったり，水のような下痢・発熱や嘔吐を伴う場合は受診を促します．

　授乳や菓子・嗜好飲料をひんぱんに与えていることが原因の場合は，生活リズムを見直すことが大切です．

参考文献
- 母子衛生研究会：赤ちゃん＆子育てインフォ．（https://www.mcfh.or.jp/）2022年8月24日閲覧
- 太田百合子：子どもの食生活Q&A 子どもの下痢や便秘．こどもの栄養 2014；698：16-17

（太田　百合子）

栄養
5〜11か月

Q37 「手づかみ食べ」は，させないといけませんか？

A 手づかみ食べは，子どもの食べたい意欲の現れでもあり，自食の第1歩ですから，9か月頃から手で触りたがるようになったら，手づかみしやすい茹で野菜のスティック状のものなどを用意してあげましょう．こぼしてもよいような対策が必要です．

関連質問 Q77

Key word 自食，スティック状，こぼし対策

解説

手づかみ食べは，子どもの食べたい意欲の現れでもあり，自食の第1歩ですから，興味を示したら積極的にやらせましょう．手づかみすることにより，手指と口の動きの協調運動を学び，食べ物の固さや温度などを確かめるとともに，どの程度の力で握れば適切であるかという感覚の体験を積み重ねることにより，食具使用への移行につながっています．こぼしたり汚れるので大変ですが，手づかみしやすいものを用意してあげます．

例えば，一口大の軟飯をラップに包んで棒状にします．パンは白い部分を1〜2cmのスティック状，野菜やイモは煮たり蒸したりして，乱切りや輪切り，スティックに，リンゴなどは厚さ0.5cm程度のくし形切り，というような大きさです．

最初は奥の歯ぐきで咀嚼することを覚えていく時期なので，歯ぐきでつぶしやすい一口大で構いません．慣れてきたらスティック状にしていくと，前歯でかじりとることを覚えていきます．1歳頃の食事形態は，大人の食事と変わらない子どもがいる一方で，まだ軟らかめの食事が中心の場合もあり，個人差が大きい時期です．軟らかめの食事が中心のお子さんは，パンなど乾いたものから始めましょう．焦らずに，1歳代で手づかみ食べができれば構いません．食べものを落としたりこぼすので，エプロンをしたり，ビニールシートなどを敷いて片づけやすくします．

参考文献
- 母子衛生研究会：赤ちゃん＆子育てインフォ．(https://www.mcfh.or.jp/) 2022年8月24日閲覧
- 太田百合子：子どもの食生活Q&A 手づかみ食べをさせなくてはいけないか．こどもの栄養 2013；10：14-15

（太田 百合子）

栄養 5〜11か月

Q38 食品表示は何に気をつけて見ればよいですか？記載方法は決まっていますか？

A 食品の原材料や賞味・消費期限などさまざまな情報がわかります．食品表示には，商品の特徴（味付け，固さや物性），食品添加物，衛生管理，残留農薬，遺伝子組み換え食品，アレルギー特定原材料などの基準が設けられています．

関連質問 Q44

Key word 原材料表示，コンタミネーション，代替表記

解説

　生鮮食品の食品表示では，消費期限・賞味期限などのほかに，産地や適する保存方法や食べ方などが表示されているものもあります．加工食品では，原材料名（原産地記載は加工地であり，原材料の産地ではありません）のほか，商品の特徴（味付け，固さや物性），食品添加物，衛生管理，残留農薬，遺伝子組換え食品，アレルギー特定原材料などの基準が設けられています．その他，熱量（エネルギー）やたんぱく質，脂質などの栄養成分が書かれているものもあります．

　食物アレルギー対応には，アレルギー表示を確認します．原材料表示の欄外には，「製造工場では，卵を含む製品を生産しています」などとコンタミネーション（原材料としては使用していないが意図せず混入すること）情報が記載されていることがあります．限られた表示スペースに表記するため，「代替表記」と「特定加工食品」という2つの代替の表記が認められています．「代替表記」は，例えば，落花生の表記にピーナッツ，乳の表記にクリーム，バター，イクラ，すじこなど，特定原材料と同一であることが理解できるものが認められています．特定加工食品は，一般的に特定原材料を使用したことが予測できる表記です．卵では，厚焼玉子，マヨネーズなどがあります．

　厚生労働省に承認されたハサップ（Hazard Analysis and Critical Control Point：HACCP）システムにより，衛生管理が行われた商品にはマーク表示があります．HACCP は食品の中に潜む危害（生物的，化学的あるいは物理的）要因（ハザード）を科学的に分析し，それが除去できる工程を，常時管理し，記録する方法です．

参考文献

- 消費者庁：知っておきたい食品表示令和4年1月版・消費者向け．(https://www.caa.go.jp/policies/policy/food_labeling/information/pamphlets/assets/food_labeling_cms202_220131_01.pdf) 2022年10月18日閲覧
- 厚生労働省：HACCP．(https://www.mhlw.go.jp/stf/seisakunitsuite/bunya/kenkou_iryou/shokuhin/haccp/index.html) 2022年10月18日閲覧

（太田　百合子）

栄養
5〜11か月

Q39
鉄分，カルシウムを上手に摂取させるには，どんなものがよいですか？

A
離乳食から栄養素を意識して組み合わせます．栄養素不足が考えられるなら，ベビーフードやフォローアップミルクから補うこともできます．お菓子や飲料などに栄養素が強化された菓子や飲料などもありますが，これに頼ることは勧められません．

関連質問 Q 34, 43

Key word ベビーフード，フォローアップミルク，栄養強化食品

解説

鉄欠乏性貧血を予防するために，生後6か月以降から鉄を意識します．離乳食は，咀嚼機能に合わせた調理形態で，さまざまな食品に少しずつ慣らすことから始めます．鉄が多く含まれる食品は，赤身肉，レバー，マグロ，カツオ，高野豆腐，納豆，きな粉，卵黄，青のり，ごま，プルーン，小松菜，ほうれん草，かぶ葉などです．

母乳栄養児は離乳期に鉄血乏性貧血に気をつける必要があります．それは，乳児にとって最良の栄養は母乳ですが，母乳は育児用ミルクに比べて鉄の含有量が少ないからです．

カルシウムが多く含まれている食品は，牛乳，チーズ，ヨーグルト，しらす，桜エビなどです．ちなみに，カルシウムと鉄の両方を効率よくとれる食品は，大豆製品，小松菜，大根葉，モロヘイヤ，ゴマなどがあります．ビタミンDと組み合わせると吸収がよくなりますので，いろいろな食品と組み合わせましょう．

栄養素不足が考えられる場合は，ベビーフードを組み合わせてもよいでしょう．育児用ミルクやフォローアップミルクは鉄などが強化されています．調味料として使用し，補うことができます．

お菓子や飲料などに栄養素を強化した商品がありますが，お菓子に頼り過ぎると離乳食を食べなくなることがあります．まずは離乳食中心に栄養素の摂取を考えます．

参考文献
・文部科学省：日本食品標準成分表2020年版（八訂），2020
・五十嵐 隆（監修），楠田 聡，他（指導）：授乳・離乳の支援ガイド実践の手引き（2019年改定版）．母子衛生研究会，2020

（太田 百合子）

5〜11か月（乳児中期〜後期）

栄 養
5〜11か月

Q40
魚やソーセージなどの缶詰を離乳食に使用してもよいですか？

A
缶詰は簡単に調理できて栄養素を上手に取り入れることができます．塩分，糖分，脂肪の量は，離乳食の進み具合や咀嚼の発達に合わせます．1歳前の離乳食からは魚や野菜系の缶詰が，1歳以降には果物，肉系の缶詰などが使用できます．

関連質問 Q 81

Key word 塩分，糖分，脂肪分

解説

　缶詰の利点は，長期保存が可能で，買い物に行けないときや非常時にあると安心です．また，下処理をしなくてもよいので調理の時間短縮ができます．欠点は塩分が多い製品もあることです．1日の塩分目標量は6〜11か月で，1.5gです．

　離乳食では，7〜8か月頃から，鶏ささみ缶（食塩無添加）〔100gあたりの塩分量：0.06g，以下（　）内〕，鮭缶（0.6g），マグロ（ツナ）缶（0.7g）は使用できますが，湯通ししてから使用します．サバ缶（0.9g），ホタテ缶（1.0g）は9か月頃から使えます．サバは骨を取り除いてから，ホタテはほぐしたり刻んでから使用できます．味付けしてある魚や，貝類などで固いものはまだ使用できません．

　とうもろこし（ホール・クリーム）缶は食塩無添加のものをなめらかにすりつぶして5〜6か月頃から，使用できます．ソーセージ缶（1.8g）は，湯通しして，皮があるものは刻んで1歳以降から，コンビーフ（1.8g）などは塩分，脂肪分が多いので塩分の少ないものを選び1歳以降から使用できます．果物の缶詰は糖分が多いので，利用する場合は9か月頃から水洗いして使用します．

参考文献
・厚生労働省：日本人の食事摂取基準（2020年版），2020
・文部科学省：日本食品標準成分表2020年版（八訂），2020

（太田　百合子）

栄養
5〜11か月

Q41 肉はいつ頃から食べさせられますか？

A 脂肪が少なく，加熱して軟らかい順番に試していくことができます．鶏のささ身は7〜8か月頃から，次は鶏の挽き肉やむね肉，もも肉，レバー，牛や豚の挽き肉，もも肉などを，消化吸収や咀嚼機能に合わせて料理に加えていきます．

関連質問 Q40　　🔍 **Key word** 脂質，部位，調理の工夫

解説

　肉類は加熱すると固くなるので食べにくいですが，部位を選んだり以下のように調理の工夫をすることで食べやすくなります．脂肪が少なく消化しやすい鶏ささみ肉は，豆腐や白身魚に慣れた7〜8か月頃から使用できます．ささ身は，加熱後，細かくほぐして雑炊やあんかけにします．その後は，咀嚼能力に合わせて大きくほぐしていきます．ささ身に慣れたら，鶏肉のむね肉やもも肉の挽き肉から形状を大きくしていきます．皮と脂肪を取り除いてから使用します．レバーは，鉄分が多いので7〜8か月頃から利用したい食品です．調理法は血抜きをするために牛乳に30分程度漬けます．水洗いして茹でてからすりつぶしてカボチャなどの野菜とあえると食べやすくなります．豚や牛の薄切り肉は，脂を取り除き9か月頃から使用できます．

　肉は一般的に加熱すると固くなるので，繊維を断ちきるように切ったり，たたいたりして肉そのものを軟らかくします．水分の多い野菜やとろみになるイモ類などと一緒に料理するか，スターチ（でんぷん）でとろみをつけます．挽き肉で肉団子をつくるときは，つなぎを多めに入れたり，半分は豆腐にしたり，混ぜるときに水を加えると食べやすくなります．調理の工夫も一緒に伝えるとわかりやすいでしょう．

　1歳頃から，ハム，皮なしウインナー，焼き豚は湯通ししてから使用できます．ベーコンはスープのだしとしてなら9か月頃から少量使う程度にします．

📖 参考文献
・ひよこクラブ編集部：最新！初めての離乳食新百科．ベネッセコーポレーション，2022

（太田　百合子）

栄養
5〜11か月

Q42 蜂蜜や牛乳はなぜ1歳まであげられないのですか？

A 蜂蜜はまれにボツリヌス菌が入り込むことがあるので，腸内細菌の少ない乳児には食べさせません．牛乳は，調味料にミルク味として使用するには問題はありませんが，飲み過ぎると消化管出血から貧血を起こす恐れがあります．

関連質問 **Q 84**　　🔍 **Key word**　乳児ボツリヌス症予防，鉄不足，腎臓負担

解説

　乳児ボツリヌス症は生後3週〜6か月の乳児にみられます．神経麻痺症状が主で，哺乳不良，泣き声が弱い，さらに筋緊張性低下，よだれが多い，首のすわりが悪い，無呼吸などの症状がでます．自然界にはボツリヌス菌が存在し，そのなかでも蜂蜜にはまれに菌が入り込むことがあるので，1歳までは腸内細菌の少ない乳児には食べさせません．健康志向の高まりからも調味料に蜂蜜を使用する家庭が増えているので，1歳までは食べさせないことを伝える必要があります．1歳を過ぎると大腸の細菌叢が変化し，発症しなくなります．なお，1歳未満でも，メープルシロップは使うことができます．

　牛乳の成分は，母乳と比較するとたんぱく質は3倍，ミネラルは3倍以上であり，たんぱく質は母乳とは性質が異なっています．過剰なミネラルは乳児の未熟な腎臓には負担がかかります．特にカルシウムとリンの含有量が多く，鉄と不溶性の複合物を形成し，腸からの鉄吸収を阻害します．牛乳を多飲すると，腸管アレルギーの1つとされる消化管出血がみられてさらに鉄損失を招くこと，栄養素の鉄含有量は，食品成分表では100 mL中で0.02 mgと記載されていますが，これは利用上の便宜のためで，実際にはTr（最小記載量の1/10〜5/10未満の含有量）であり，ほとんど含まれていないことなどから，鉄欠乏症のリスクが高まります．もちろん，離乳食をミルク味にする程度の量の牛乳の使用は問題がありません．

📖 参考文献
・五十嵐　隆（監修），楠田　聡，他（指導）：授乳・離乳の支援ガイド実践の手引き（2019年改定版）．母子衛生研究会，2020

（太田　百合子）

栄養
5〜11か月

Q43 豆乳はいつ頃から飲ませられますか？

A 豆乳は大豆のしぼり汁ですから，調味料としては7〜8か月頃から利用できます．飲料としては，牛乳と同じで食事がきちんと食べられるようになる1歳以降が望ましいでしょう．

関連質問 Q84　　🔍 **Key word** 調味料，栄養素の特徴

解説

豆乳の栄養素を牛乳と比較してみます．豆乳には，無調整豆乳，調整豆乳があります．違いは大豆固形分の違いです．無調整が8%以上，調整が6%以上のものです．味を加えた豆乳飲料は，果汁入りが大豆固形分2%以上，果汁以外は4%以上とされています．

栄養素の特徴は，普通牛乳と無調整豆乳を表のように比較すると，豆乳はエネルギーと脂質は少なめで，カルシウムとビタミンB_2はほとんどありませんが，鉄分は豊富です．

日本人はカルシウムと鉄分が不足しがちですから，牛乳からカルシウムを，豆乳から鉄を摂取することができます．特に乳児からは鉄欠乏性貧血になりやすいので，鉄を補うために7〜8か月頃から豆乳を調味料として使用することができます．飲料としては，牛乳と同じように食事から，エネルギーや栄養素の大部分が確保できるようになる1歳以降からが望ましいでしょう．

表　牛乳と豆乳の栄養素比較

100gあたり	エネルギー(kcal)	たんぱく質(g)	脂質(g)	カルシウム(mg)	鉄(mg)	ビタミンA(μg)	ビタミンB_2(mg)
普通牛乳	61	3.3	3.8	110	*0.02	38	0.15
加工乳低脂肪	42	3.8	1.0	130	0.1	13	0.18
脱脂乳	31	3.4	0.1	100	0.1	—	0.15
無調整豆乳	44	3.6	2.0	15	1.2	(0)	0.02
調整豆乳	63	3.2	3.6	31	1.2	(0)	0.02

＊Trであるが，利用上の便宜のため，小数第2位まで記載
（文部科学省：日本食品標準成分表2020年版〈八訂〉，2020）

📖 **参考文献**
・文部科学省：日本食品標準成分表2020年版（八訂），2020

（太田　百合子）

栄養
5～11か月

Q 44 ベビーフードに添加物は使用されていますか？食品表示で気をつけることはありますか？

A 市販のベビーフードは，日本ベビーフード協議会により自主規格を設けており，食品添加物は必要不可欠な場合に限り最小限の使用に留めています．アレルギー特定原材料は表示義務があるので，食物アレルギーの場合は表示を確かめます．

関連質問 **Q 38**

🔍 **Key word** ベビーフード・ベビー飲料自主規格，食物アレルギー特定原材料

解説

離乳食は薄味にすることで味覚や嗜好を育むことが大切です．わが国の場合，ベビーフードの添加物は1947年に制定された「食品衛生法」に基づき衛生上の法規が整備されました．1991年からは加工品に使用した食品添加物は原則としてすべて表示されています．例えば，豆腐のにがりや品質劣化防止のためのビタミンCなどです．1996年に厚生労働省によりベビーフード指針がまとめられ，その指針のもとに日本ベビーフード協議会は，自主規格を作成しています．ベビーフード・ベビー飲料自主規格では，食品添加物，残留農薬，環境ホルモン，遺伝子組換え食品などの基準を設けて食品表示がされています．塩分濃度は0.5％以下（WHO/FAO勧告）に調整されています．消費者庁は「乳幼児用規格適用食品」の表示がある食品には，放射能物質が50ベクレル/kg以下であることとしています．

食物アレルギー児に市販のベビーフードを使用する場合，アレルギー特定原材料が表示されているので参考にしてください．

食品表示を参考に，子どもの月齢や固さに合ったもの，メニューに変化をつけることや不足しがちな鉄の多いものを選ぶことなどができます．添加物などの表示があっても恐れすぎることもなく，保護者の食への負担感の軽減につなげることが大切です．

📖 参考文献

- 日本ベビーフード協議会．（https://baby-food.jp/）2022年8月24日閲覧
- 小見邦夫，西島基弘，他：食品添加物を正しく理解する本～Q&Aファイル101．工業調査会，2002
- 西島基弘（監修），日本食品添加物協会（編）：よくわかる暮らしのなかの食品添加物 第4版．光生館，2016

（太田 百合子）

栄養
5～11か月

Q45

離乳食作りが負担です．どのようにしたら負担感少なく，離乳食が作れますか？

A まとめて作り，小分けに冷凍したり，市販のベビーフードなどを上手に利用します．または大人が食べる具の多い汁物や煮物などといった水分の多いものから取り分けができます．

関連質問 Q 39, 107, 111

Key word 作り置き，ベビーフード，取り分け

解説

離乳食は，栄養を考えた食材選びや食形態，調味，衛生管理等さまざまな配慮を必要としますが，子育てをしながらの離乳食づくりは大変です．さらに赤ちゃんに適した軟らかさまで調理するのも時間がかかるものなので，できるだけ負担感を少なくすることが大切です．

①**まとめて作り置きをする**：新鮮な食材を選んでその日のうちに調理します．目安は，1～2週間で使い切れる量をまとめて作ります．麺類や，肉・魚，野菜などは下ごしらえをしたら，加熱（ゆでる，電子レンジ）し，食べやすい大きさに調理します．初期・中期は，フードプロセッサーを使えばさらに簡単です．冷凍方法は，冷凍保存袋に入れて平らにしてから箸などで1回分ずつ筋目をつける，製氷皿やシリコーン製カップに小分けにして，固まったら冷凍保存袋に入れて冷凍保存する方法があります．これらをいろいろ組み合わせれば，バリエーションが豊かになります．食べる直前に鍋や耐熱容器に入れて電子レンジで加熱するだけです．

②**市販のベビーフード**：単品で用いるほかに，手作り離乳食に追加したり，外出時には便利です．多様な製品があるので，組み合わせを考えて利用すれば調理形態，味のバリエーションが増えて豊かになるだけでなく，栄養価も高まります．手作りの際には，とろみや味，大きさなども参考になります．

③**大人の食事からの取り分け**：離乳食の形態が子どもの摂食機能に合うように，少し軟らかめに調理したり，食べられる食材を取り分けます．食べられるものは調味料を加える前に取り分けて子どもの望ましい味付けにしたり，調味後の取り分けは湯で薄めます．その場でつぶしたり刻んだりすれば，共食になり，食欲を刺激することができます．

参考文献
- 五十嵐　隆（監修），楠田　聡，他（指導）：授乳・離乳の支援ガイド実践の手引き（2019年改定版）．母子衛生研究会，2020
- 太田百合子：忙しいママ＆パパのためのフリージング離乳食（ベネッセ・ムック）．ベネッセコーポレーション，2019

（太田　百合子）

栄養 5〜11か月

Q46 標準よりも体重があり，見た目も太っています．離乳食やミルクを減らしたほうがよいですか？

A 乳児肥満は摂取量が過剰というよりは，体質がほとんどですから，むやみに離乳食やミルク量を減らしません．基本は5〜6か月頃までは，母乳やミルクは子どもが飲みたいだけ与えます．離乳食は子どもの咀嚼機能に合わせていきます．

関連質問 Q 85　　🔍 **Key word** 体質，食事制限，生活習慣

解説

乳児肥満の場合は，原発性肥満か，病的な問題があるのかをまず診断することが大切です．調査によると，乳児の原発性肥満の場合は，20歳時の肥満者で生後3か月時のBMI（body mass index）ごとに肥満であったかどうかの割合をみると，男女とも成人の肥満にはほぼ移行していないことがわかっています．つまり，乳児期前半の肥満は将来の肥満や生活習慣病にはつながらないので離乳食やミルクを減らす必要はありません．離乳食は，特別なことは必要なく咀嚼機能に合わせていくこと，だしを中心に味付けを薄味にして和食を心掛けます．早期からお菓子やジュースなどを与えたり，子どもが欲しがるときに与えたりする食生活には注意が必要です．

定期的に体重を測定し，成長曲線のカーブに沿って成長しているか確認しながら，規則正しい生活習慣を身につけていく必要があります．離乳食の頃からは，生活リズムを早寝早起きにして，メリハリのある生活習慣を身につけることが大切です．離乳食を丸飲みしたり早食いの場合は，咀嚼機能に合わせて噛みごたえのある野菜などを使用してよく噛んで食べられるように促します．

📖 **参考文献**
・堤ちはる，平岩幹男：新訂版 やさしく学べる子どもの食．診断と治療社，2012

（太田 百合子）

栄養
5〜11ヵ月

Q47
髪の色が薄いですが、栄養不足が原因ですか？

A 東洋人の場合には基本的には黒髪が多いですが、一般的には乳児の髪の色は成人の色と直接の関係はありません。乳児期の特に前半には、毛髪の色も量も変化することが多いのです。白髪が交じっていても心配はありません。髪の色を何とかしようと不必要な食品の摂取は避けましょう。

関連質問 Q.79　　🔍 **Key word** 毛髪，メラニン，栄養状態

 解説

生まれたときにはふさふさとした黒髪だったのに、幼児期に明るい茶色になったりすることもあります。これは、特に栄養面での問題などでそうなるわけではなく、メラニン色素の量によっても変わります。メラニン色素にはフェオメラニン（pheomelanin）とユーメラニン（eumelanin）があり、後者の量が多くなれば黒髪になります。白色人種では前者の量が多いことが知られています。これらの色素の発現には遺伝的な背景があることが知られていますが、これが人種によって多い毛髪の色があることにつながっています。

ときに新生児期に白髪が数本交じっていることがありますが（群生している場合には白斑が存在することがあります）、これは福白髪とよばれて、ありがたがられることもあります。また黒色、褐色などの母斑が頭皮に存在し、そこに色の違う毛髪が生える場合もあります。こうした母斑が皮膚にも多発する場合には皮膚科受診を勧めています。

基本的には毛髪の色が薄くなることが栄養不足にかかわらないことは理解できますが、極端な飢餓状態〔クワシオルコル（kwasiorkor）のような状況〕では、毛髪の量が減少し、色も薄くなります。国際的には難民、飢餓の広がりなどで起きることが知られていますが、現在のわが国でこれが起きるとすれば児童虐待や自閉スペクトラム症での極端な偏食の結果の可能性があります。

まれですがアルビニズム（albinism）の場合には毛髪だけではなく、皮膚の色も白くなります。この場合には日光を避けるなどのケア（皮膚がんのリスクが高まる）も必要になります。出生後早い時期に診断されることが多いです。

（平岩 幹男）

アレルギー
5〜11か月

Q48 食物アレルギーを起こす食物はどのようなものですか？

A 原因食物として頻度が高いものは，鶏卵，牛乳，小麦です．成長による食生活の変化に伴い，新たにクルミ，カシューナッツなどの木の実類，魚卵，ピーナッツ，甲殻類，果物への食物アレルギーがみられるようになります．

関連質問 Q.144, 158

🔍 **Key word** 食物アレルギー，原因食物，鶏卵

解説

アレルギーの原因食物は食生活の内容と深くかかわるため，年齢により大きく異なります．表にわが国における即時型食物アレルギーの初発例での原因食物を年齢別に示します．0歳では鶏卵が過半数を占め，次いで牛乳，小麦が多いことがわかります．1歳以降に新たに発症するものでは，クルミ，カシューナッツなどの木の実類へのアレルギーが最近増加しています．1〜6歳までは魚卵，ピーナッツ，7歳以降は甲殻類や果物などが，新たな原因食物となります．乳幼児期に発症した卵，牛乳，小麦に対するアレルギーは学童期までに自然寛解する例が多いことが特徴です．

食物アレルギーでは原因食物の加熱調理などにより，アレルギーが起こりにくくなることがあります．特に卵は加熱によるアレルギー性の低下が顕著で，茹で卵が摂取できても，加熱の不十分な卵粥では蕁麻疹や咳などの症状（Q49参照）がでることがあります．

表　年齢群別原因食物（初発例）

	0歳(1,736)	1〜2歳(848)	3〜6歳(782)	7〜17歳(356)	≧18歳(183)
1	鶏卵 61.1%	鶏卵 31.7%	木の実類 41.7%	甲殻類 20.2%	小麦 19.7%
2	牛乳 24.0%	木の実類 24.3%	魚卵 19.1%	木の実類 19.7%	甲殻類 15.8%
3	小麦 11.1%	魚卵 13.0%	落花生 12.5%	果実類 16.0%	果実類 12.6%
4		落花生 9.3%		魚卵 7.3%	魚類 9.8%
5		牛乳 5.9%		小麦 5.3%	大豆 6.6%
6					木の実類 5.5%
小計	96.1%	84.2%	73.3%	68.5%	69.9%

注：各年齢群で5%以上の頻度の原因食物を示した．また，小計は各年齢群で表記されている原因食物の頻度の集計である原因食物の頻度(%)は少数第2位を四捨五入したものであるため，その和は小計と差異を生じる．

（消費者庁：令和3年度食物アレルギーに関連する食品表示に関する調査研究事業報告書．2022；5 より作成）

（成田　雅美）

アレルギー
5〜11か月

Q.49
食物アレルギーはどのような症状でわかりますか？症状はすぐに現れますか？

A
食物アレルギーの症状は，唇や顔面の赤み・かゆみ・腫れ，蕁麻疹，咳，嘔吐，腹痛，下痢，ぐったりするなど多岐にわたりますが，すべての症状がみられるわけではありません．多くは食直後から2時間以内に現れる即時型反応です．

関連質問 Q.23, 151, 152

Key word 食物アレルギー，即時型反応，アナフィラキシー

解説

食物アレルギーにより起こる症状の多くは，即時型反応として原因食物摂取直後から2時間以内に起こります．表に食物アレルギーでみられる症状を示します．局所的な蕁麻疹やかゆみ，顔面や唇の腫れ，咳・喘鳴や嘔吐・下痢などから，意識障害，血圧低下まで多岐にわたり，単独または合併して起こります．即時型反応のなかでも皮膚症状は90％近くと高い頻度で認められ，次いで，呼吸器，粘膜（眼，鼻，口，喉），消化器症状が続きます．複数の部位に症状が現れる場合がアナフィラキシーで，そのうち血圧低下や意識障害を伴う重症な場合がアナフィラキシーショックです．症状がすぐに現れず，半日〜翌日以降に湿疹などの皮膚症状として起こる場合もあります．ただし，もともとアトピー性皮膚炎を合併している乳児では，食物が原因だと誤解されやすいので，まず適切な治療により湿疹を完全にコントロールしてから，食物の関与を評価することが大切です．

表 食物アレルギーの症状

部位	症状
皮膚	紅斑，そう痒，蕁麻疹，血管性浮腫，湿疹
眼	結膜充血・浮腫，そう痒感，眼瞼浮腫
鼻	鼻汁，くしゃみ，鼻閉
口・喉	口唇腫脹，口腔違和感，咽頭痛
消化器	悪心，嘔吐，腹痛，下痢，血便
呼吸器	咳嗽，喘鳴，呼吸困難，嗄声
神経	頭痛，活気低下，眠気，意識障害
循環器	血圧低下，頻脈，不整脈，四肢冷感
全身性	アナフィラキシー（複数の部位に症状が現れる場合），アナフィラキシーショック（血圧低下や意識障害を伴う重症な場合）

（成田 雅美）

アレルギー
5〜11か月

Q 50
食物アレルギーがある子どもの離乳食はどのように進めればよいですか？

A
原因食物であっても，これまで症状なく食べられている量・加熱調理法や，食物経口負荷試験で判定される安全に摂取可能な範囲の摂取は続けましょう．食物除去により栄養バランスを崩す危険性があり，他の食品で栄養を補うよう心掛けましょう．

関連質問 Q 53

Key word 栄養指導，食物アレルギー，離乳食

解説

病歴や食物経口負荷試験などにより食物アレルギーの原因と判断された食物に関しては，乳児期においても，症状を誘発しない安全な範囲までの摂取が治療の中心となります．除去が過剰とならないよう心掛け，食物経口負荷試験の結果や，これまで摂取できている量，加熱・調理法により安全だとわかる範囲があれば，厳格に除去しなくてもよいことを指導します．少量の摂取で反応する場合や，重篤なアレルギー症状を誘発する危険性が高いと判断される場合には，安易に除去を継続したり，自宅での摂取・増量を指示したりすることは避け，専門医療機関に紹介します．定期的な食物経口負荷試験を含めた慎重な判断のうえ，常に対応可能な救急医療体制がすべて備わったうえで解除を進めます．

離乳時期に食物を除去する場合，乳児の栄養バランスを崩す危険性があります．例えば鶏卵や牛乳を除去した場合にはカルシウムや脂質が，魚類を除去するとビタミンDの不足が発生しやすく，除去により不足する可能性のある栄養素を他の摂取できる代替食品で補うよう指導します．定期的な体重増加や摂取栄養量の評価が必須ですが，医師のみで栄養管理を行うことが困難な場合には，栄養士と協力して指導することがポイントです．

また，乳児期において食物アレルギーと診断された場合，家族はその不安からほかにもさまざまなアレルギーの原因となりやすい食物を除去しがちです．しかし，ある食物に対するアレルギーがあったとしても，他の食物にまでアレルギーがあるとは限りません．不足しがちな栄養を補ううえでも不必要な除去がないかたびたび聴取することも重要です．アレルギーのない食物については注意深く開始するよう説明し，摂取後の誘発症状など心配な点があれば医師に相談するよう指導します．

参考文献
・海老澤元宏，他（監修），日本小児アレルギー学会食物アレルギー委員会（作成）：食物アレルギー診療ガイドライン 2021．協和企画，2021

（福家　辰樹）

アレルギー
5〜11か月

Q51 食物アレルギーがある子どもが市販の離乳食を使用する場合，気をつけることはありますか？

A アレルギー対応の表示をよく確認して購入しましょう．原材料が告知なく変更になる場合もあるので注意が必要です．固さや量は表示の月齢にとらわれすぎず，赤ちゃんの状況に合わせましょう．初めて利用する食品は外出先ではなく，家庭内で食べましょう．

関連質問 Q44　　🔍 **Key word** 食物アレルギー，ベビーフード，離乳食

解説

　市販のベビーフードにはアレルギーに配慮されているものが多く，食物アレルギーの乳児が利用できるものもたくさんあります．忙しい日や外出時の強い味方になるばかりでなく，月齢に合った食材を選ぶことで，乳児に食べやすい固さ・大きさや味付けの目安にもなります．注意点として，形態に関して月齢にとらわれすぎず，子どもが実際に食べているものに近いものを選ぶことが重要です．また，いきなり外出先で利用するのは控えましょう．最初は家庭内で食べてみて問題がないことを確認します．万が一症状が出たときのために，初めて食べる食物が2種類以上入っているものは避けたほうが無難です．ベビーフードの原材料に除去食物が含まれていないか，表示をよく確認して選ぶのはもちろんですが，購入歴があるベビーフードでも途中からパッケージデザインの変更なく使用原材料が変更されることもありますから注意が必要です．

　離乳児のせんべい系おやつは間食，つかみ食べに利用しやすく，ぐずぐず対策や食べる楽しみを育むことに一役買います．このように，市販のベビーフードは手軽に利用できて栄養補給にもなり，毎日の調理の手間を省く賢い手段です．アレルギーがあるからといってすべて手作りするのはとても大変ですので，子どもに合うものを上手に利用するよう提案します．

　なお，海外では乳児期の食物アレルギーの発症予防を期待することをうたった少量のアレルゲンを含むミックス離乳食が販売されており，日本ではその記載はなく離乳食とのみ記載され販売されています．日本アレルギー学会，日本小児アレルギー学会などでは，既に食物アレルギーを有している子どもでは症状が誘発される可能性があるとして，各団体連名で注意喚起がなされています．

📖 参考文献
- 伊藤浩明(監修)：改訂版 アレルギーっ子のごはんとおやつ．主婦の友社，2019
- 日本小児アレルギー学会食物アレルギー委員会：乳幼児用のミックス離乳食(Spoonfulone スプーンフルワン®)に関する注意喚起．(https://www.jspaci.jp/news/both/20211008-2901/)2021年10月8日閲覧

（福家　辰樹）

アレルギー
5〜11か月

Q.52
湿疹がひどいので，離乳食の開始は遅らせたほうがよいですか？

A
乳児期の湿疹は食物アレルギーの発症リスクであり，離乳食の開始を遅らせるとかえって食物アレルギーを発症しやすくさせかねず推奨されません．乳児期の湿疹がひどい場合，まずは適切な外用療法により湿疹を治療することが先決です．

関連質問 Q.50, 53

Key word アトピー性皮膚炎，食物アレルギー，離乳食

解説

乳児期の湿疹やアトピー性皮膚炎は，食物アレルギーにおける最大の発症リスクです．まずは適切なスキンケア指導，抗炎症外用薬を中心とした薬物療法を開始し，湿疹を適切に治療します．既に食物アレルギーの発症を疑う場合には，血液検査や食物経口負荷試験などによる適切な評価を行い診断したうえで，「食物アレルギー診療ガイドライン 2021」に従い安全に摂取できる範囲までの摂取を開始します．

二重アレルゲン曝露仮説で示されるように，このようなハイリスク乳児に対して特定の食物の導入を遅らせることは，食物アレルギー発症リスクを増大させることが高いエビデンスレベルで証明されており推奨されません．例えば鶏卵アレルギー発症予防研究である PETIT スタディの対象者は，ハイリスクつまりアトピー性皮膚炎の乳児ですが，湿疹を積極的に治療しプロアクティブ療法による寛解維持を継続したうえで，生後 6 か月から微量(50 mg)の加熱全卵粉末を開始し，生後 9 か月から少量(250 mg)の加熱全卵粉末を毎日摂取することで鶏卵アレルギーの発症リスクを抑制しました．近年では多くの国や地域のガイドラインや，わが国の「授乳・離乳の支援ガイド(2019 年改定版)」においても離乳食を遅らせるべきではないことが記載されています．もちろん，食物アレルギーを既に発症している乳児に原因食物を安易に摂取させることは症状誘発の可能性があるため，自宅摂取指示前に食物経口負荷試験を含めた適切な評価を考慮します．

加えて，食の多様性(ダイバーシティ)という考え方があり，多くの出生コホート研究において乳児期に摂取する食物のカテゴリーが多いほど，その後のアレルギー疾患の発症リスクが低下することが示されています．つまりは，アレルゲンとなりやすい食物ばかりに配慮するのではなく，食物繊維やビタミン類を含む幅広い食物をバランスよく摂取することが大変重要です．

参考文献
・海老澤元宏, 他(監修), 日本小児アレルギー学会食物アレルギー委員会(作成)：食物アレルギー診療ガイドライン 2021. 協和企画, 2021
・Natsume O, et al.：Two-step egg introduction for prevention of egg allergy in high-risk infants with eczema(PETIT)：a randomised, double-blind, placebo-controlled trial. Lancet 2017：389：276-286
・厚生労働省：授乳・離乳の支援ガイド(2019 年改定版). 2019

(福家 辰樹)

アレルギー
5〜11か月

Q53 家族がアトピー性皮膚炎や鼻炎などのアレルギー体質です．子どもの離乳食の時期や種類に気をつけることはありますか？

A ハイリスク乳児だからといって，特定の食物の開始を遅くする必要はありません．わが国の「授乳・離乳支援ガイド」では，離乳食開始時期を5〜6か月としており，これより早めたり遅らせたりすることは推奨されていません．

関連質問 Q.50　　　**Key word** ハイリスク乳児，離乳食

解説

小児のアレルギー疾患においては特に，家族の予防への関心の高さゆえにこのような質問を受けることが多くあります．かつて離乳食の開始時期を遅くすることは食物アレルギーの発症予防につながるとする考え方があったため，今なお一般的イメージとして「離乳食を遅らせること」がアレルギー発症予防になるという誤認が根深く残っており，そこへ単純な「心配だからやめておく，遅くする」という懸念が拍車をかけていると感じられます．しかし，ハイリスク乳児[注]に対して特定の食物の導入を遅らせることが即時型食物アレルギー発症を予防できるというエビデンスはなく，むしろリスクになることが最近の大規模介入研究による結果から証明されました．これはアレルギーの原因食物となりやすいピーナッツや卵で報告されたものであり，アレルギーを心配して何か特別な種類のみを遅くする必要はない，ということを示唆しています．

一方，離乳食開始が16週以内であると2歳時点の食物アレルギーが増えたとする報告もあり，海外のガイドラインでも離乳食開始時期を4か月以降と推奨することがほとんどです．わが国の「授乳・離乳の支援ガイド(2019年改定版)」では5〜6か月頃を適当とし，これより早めたり遅らせたりすることは現在推奨されていません．

ただし，生卵を離乳食に使用した臨床研究ではかえって鶏卵アレルギーが増加したことも知られています．乳児の消化力や安全性に配慮した加熱鶏卵のほうがよさそうです．また，ピーナッツやナッツ類を乳幼児に与える際には十分に安全な形態で摂取させる必要があります．重要なことは，母児ともに，何か特定の食物を控えたりサプリメントとして摂取したりすることで食物アレルギーを予防しようとするのではなく，その地域や家族にとって普通のものを，健康的にバランスよく摂取することでしょう．

注) ハイリスク児：両親かきょうだいのうち，少なくとも1人がアレルギー疾患を有すること．

参考文献
- 海老澤元宏, 他(監修), 日本小児アレルギー学会食物アレルギー委員会(作成)：食物アレルギー診療ガイドライン2021. 協和企画, 2021
- 厚生労働省：授乳・離乳の支援ガイド(2019年改定版). 2019

（福家　辰樹）

アレルギー
5〜11か月

Q54 大豆を除去するときの注意点と工夫は，何ですか？

A 大豆と，豆腐や納豆，きな粉，おからなどの大豆製品を除去します．枝豆は青大豆，黒豆は黒大豆という大豆の一種で，除去が必要です．大豆以外の他の豆類は基本的に除去する必要はありません．大豆油，醤油，味噌は多くの場合，食べることができます．

関連質問 Q.92　　🔎 **Key word**　大豆，除去食，栄養

解説

　大豆に豊富な栄養素である鉄分，食物繊維などの栄養素は，大豆以外の豆類にも多く含まれます．鉄分はほうれん草や小松菜，アサリ，豚や鶏のレバーなどにも多く含まれます．ほかに，たんぱく質は，肉，魚，鶏卵，乳製品などからとることができます．

　大豆は加工食品の原材料への表示が推奨されていますが，義務ではありません．このため，例えば，大豆からつくられている乳化剤であっても，原材料欄には「乳化剤」としか表示されておらず，それだけでは大豆が入っていることがわからないことがあり，注意が必要です．微量でも症状が誘発される場合には，製造業者に大豆の使用の有無は詳細を確認する必要があります．

　大豆油は大豆からつくられますが，精製度が高く，大豆アレルギーの原因たんぱく質がほとんど残留していないため，基本的に除去する必要はありません．また，醤油や味噌に含まれる大豆たんぱく質は，製造過程で大部分が分解されるため，微量で症状が誘発される重篤な患者以外は，大豆アレルギーであっても摂取できることが多いです．これらを除去する必要がないだけでも食生活の負担は大きく低減するため，大豆や納豆，豆腐そのものは除去でも，醤油，味噌，大豆油は摂取可など，子どもに合わせた除去をします．もし，醤油や味噌も食べられない場合には，米や雑穀などでつくられた醤油や味噌で代用することができます．また，大豆もやしは除去が必要ですが，大豆以外の豆のもやし（一般的によく売られている緑豆もやしなど）は，基本的に食べることができます．

📖 **参考文献**
- 厚生労働科学研究班（研究代表者 海老澤元宏）：食物アレルギーの栄養食事指導の手引き 2017．2017
- 環境再生保全機構：ぜん息予防のためのよくわかる食物アレルギー対応ガイドブック 2021 改訂版．2021

（長谷川 実穂）

アレルギー
5〜11か月

Q55 魚を除去するときの注意点と工夫は，何ですか？

A 魚と，ちくわ・はんぺんなどの魚を含む食品を除去します．すべての魚が食べられないことはそれほど多くはありません．このため，食べる魚の種類が多い日本では特に食べられない魚と食べられる魚を整理することが重要です．身は食べられなくても，カツオだしやいりこだしなど，だしは食べられる場合も多くあります．

関連質問 Q 113, 135　　🔍 **Key word** 魚，除去食，栄養

解説

食べられる魚がある場合には栄養面の問題は起こりにくいですが，すべての魚の除去が必要な場合には，ビタミンDの摂取が不足する可能性が高くなります．ビタミンDは，骨にかかわる重要なビタミンで，魚以外では卵黄や，きくらげ・干ししいたけなどの乾燥キノコに多く含まれます．アレルギー用ミルク（牛乳アレルゲン除去調製粉乳）でも補うことができます．ただし，これらでは魚ほど効率よくとることは困難なため，お子さんに合った具体的な摂取方法の検討が必要です．このほか，ビタミンDは日光にあたることで皮膚でも合成されます．たんぱく質は，肉，大豆製品，鶏卵，乳製品などから摂取します．

魚アレルギーの主な原因になるたんぱく質は，魚同士で構造が似ているため（交差抗原性），複数の魚が食べられない人も多くいます．ただ，食べられる魚を整理する際，白身，赤身，青魚などの見た目による分類はアレルギーを診断する根拠になりません．このため，日常的に摂取する機会の多い魚については，何が食べられる魚で，何が食べられない魚かを１つずつ整理しておくことが大切です．加圧して作られる缶詰製品，加工や加熱調理などでも抗原性は低下するため，摂取可能な内容を具体的に確認します．また，魚の身自体が食べられなくても，だしの摂取が問題なければ，食べられるものの選択肢を広げることができます．魚のだしまで除去する必要がある場合には，しいたけ，昆布，肉類などほかの食材でだしをとります．複数の食材でだしをとると，魚でとれなくても旨みの相乗効果が期待できます．

また，鮮度の落ちた魚には「仮性アレルゲン」とよばれる化学物質（ヒスタミン）が蓄積することがわかっています．この化学物質が原因で，蕁麻疹などのアレルギーに似た症状がでることがありますが，免疫反応によって起こるアレルギーの反応とは異なります．鮮度のよい魚を選ぶことなどで，その症状を防ぐことができます．

📖 参考文献
- 厚生労働科学研究班（研究代表者 海老澤元宏）：食物アレルギーの栄養食事指導の手引き 2017．2017
- 環境再生保全機構：ぜん息予防のためのよくわかる食物アレルギー対応ガイドブック 2021 改訂版．2021

（長谷川 実穂）

アレルギー
5～11か月

Q56 肉類を除去するときの注意点と工夫は，何ですか？

A 牛肉，豚肉，鶏肉などの肉類の除去が必要なことはほとんどありません．除去する場合は，魚，大豆製品，鶏卵，乳製品など，食べられる他の食品からたんぱく質を効率よく摂取します．また，肉の除去が必要な場合であっても，エキス（だし）は問題ないことが多くあります．

関連質問 Q 54, 55　　Key word　肉，除去食，栄養

解説

肉のアレルギーが疑われる場合にも，牛肉，豚肉，鶏肉など，どの肉にアレルギーがあるのかを整理する必要があります．すべての肉を除去する必要があることはほとんどありません．肉類を除去する場合は，その動物の肉と，その肉が含まれるハムやウインナーなどの食品を除去します．ゼリーなどの原料になるゼラチンは，豚肉など肉から作られていることも多いので注意します．

牛・豚・鶏のレバーや，牛や豚の赤身肉の部分には，植物性の食品に含まれる鉄分（非ヘム鉄）に比べて吸収率の高いヘム鉄が含まれます．除去する場合には，魚の赤身に含まれるヘム鉄などで補うようにします．また，動物性のたんぱく質，ビタミンCは非ヘム鉄の吸収を助ける働きがあります．このため，植物性の食品に含まれる非ヘム鉄を効率的にとるためには，魚や食べられる肉などの動物性たんぱく質と，野菜や果物などビタミンCを豊富に含む食品を組み合わせて，バランスよく食事をすることが大切です．

肉自体が食べられない場合でも，エキス（だし）の摂取が問題ないことは多く，とれることが確認できれば，食べられるものの選択肢を広げることができます．

参考文献
- 厚生労働科学研究班（研究代表者 海老澤元宏）：食物アレルギーの栄養食事指導の手引き2017. 2017
- 環境再生保全機構：ぜん息予防のためのよくわかる食物アレルギー対応ガイドブック2021改訂版. 2021

（長谷川 実穂）

アレルギー
5〜11か月

Q57 果物，野菜を除去するときの注意点と工夫は，何ですか？

A すべての果物，野菜が食べられないことはほとんどありません．食べることができる果物や野菜のなかからなるべく多くの種類をバランスよく食べて，ビタミンCやβカロチン，食物繊維などの栄養素を十分にとることが重要です．また果物や野菜は，加熱すると食べられる場合も多くあります．

関連質問 Q134

Key word 果物，野菜，除去食

解説

　果物，野菜は，花粉症と関連した口腔アレルギー症候群（Q134参照）とよばれる口腔粘膜症状が主体のアレルギーの原因食物となることが多く，複数の果物や野菜にアレルギーがあることがあります．果物，野菜のアレルギー症状の原因になるたんぱく質は，加熱すると抗原性（アレルギーを起こす力）が低減するため，加熱したものや，缶詰，ジュースは摂取できることが多くあります．生でそのものを食べることを避ければ，ほとんどが問題なく過ごせることが多いです．一方で，果物などでも，バナナ，キウイ，モモなど，アナフィラキシーを起こすような熱に強いたんぱく質が原因のアレルギーもあります．この場合には，その果物と，その果物を含む食品を除去します．果物，野菜のアレルギーでも，その特徴によって除去するものや方法を整理することが大切です．

　加熱して食べられる場合は，加熱によって失われやすいビタミンCの摂取に配慮します．十分量の野菜や果物を摂取することや，加熱によるビタミンCの損失が比較的少ないジャガイモやブロッコリーなどの食材を積極的に摂取するようにします．

参考文献
- 厚生労働科学研究班（研究代表者 海老澤元宏）：食物アレルギーの栄養食事指導の手引き2017．2017
- 環境再生保全機構：ぜん息予防のためのよくわかる食物アレルギー対応ガイドブック2021改訂版．2021

（長谷川 実穂）

アレルギー
5〜11か月

Q58 蕎麦はいつ頃から食べさせられますか？

A 乳児期にピーナッツや卵を摂取開始すると，これらのアレルギーの発症リスクが下がるという報告がありますが，蕎麦に関しては十分な研究はありません．しかし，最近行われた，生後3〜4か月に蕎麦を微量で摂取開始した研究結果から推測すると，ことさら開始時期を遅らせなくてもよいと思われます．

関連質問 Q.52

Key word 経皮感作，早期離乳食開始，蕎麦

解説

蕎麦は，健康食品としての側面もあり，日本だけでなくアジア諸国，欧州や北米でも栽培されています．また，海外ではセリアック病（小麦たんぱくの一種であるグルテンに対する過敏症）患者に対する代替食品としても使用されています．しかし，蕎麦アレルギーは発症すると強いアレルギー症状をきたす率が高いことがわかっており[1]，開始時期に関して尋ねられることがあります．

近年，離乳食に早期開始をすることで食物アレルギーの発症を予防できる可能性が提唱されるようになり，ピーナッツと卵に関しては発症予防としてのエビデンスが明らかになってきています．そして，離乳食の開始時期を早めても，食物アレルギー・アトピー性皮膚炎・喘息の発症リスクに関係しないことも示されています（むしろピーナッツや卵アレルギーを予防できる可能性が指摘されている）[2]．

しかし，すべての食品に関して離乳食の開始時期と食物アレルギーの発症に，十分な証拠があるわけではありません．最近，日本国内の小児科クリニックに受診した生後3〜4か月のアトピー性皮膚炎のある乳児163人を，6種類の食品パウダー（卵白，粉ミルク，小麦，大豆，蕎麦，ピーナッツ）を微量摂取する群とプラセボを内服する群にランダム化し，12週間摂取し評価したところ，生後18か月後までの食物アレルギーエピソードの発生率は，特に卵アレルギーの発症率が低下し，蕎麦アレルギーに関しては両群とも発症しませんでした[3]．蕎麦に関しては，少なくともアレルギーを予防する目的であえて摂取開始時期を遅らせる理由はないと思われます．ただし，それまでにアトピー性皮膚炎や乳児湿疹が悪化している時期があるならば，経皮感作（皮膚からアレルギー感作する）が進行している可能性がありますので，開始時に注意は必要です．

文献

1) Yanagida N, et al.：Reactions of Buckwheat-Hypersensitive Patients during Oral Food Challenge Are Rare, but Often Anaphylactic. Int Arch Allergy Immunol 2017；172：116-122
2) Obbagy JE, et al.：Complementary feeding and food allergy, atopic dermatitis/eczema, asthma, and allergic rhinitis：a systematic review. Am J Clin Nutr 2019；109：890s-934s
3) Nishimura T, et al.：Early introduction of very small amounts of multiple foods to infants：A randomized trial. Allergol Int 2022；71：345-353

（堀向 健太）

アレルギー
5〜11か月

Q59 卵黄と卵白のアレルギーはどう違うのですか？

A 卵黄のアレルギーは昔はまれだった非IgE依存性の消化管アレルギーの一種である食物蛋白誘発胃腸症であることが多く，卵白のアレルギーは昔からよく知られているIgE依存性の即時型食物アレルギーがほとんどです．

関連質問 Q.23

🔍 **Key word** IgE依存性即時型反応，非IgE依存性アレルギー，食物蛋白誘発胃腸症，消化管アレルギー

解説

　卵（鶏卵）アレルギーは日本の乳幼児には最も多い食物アレルギーですが，その多くは卵白のアレルギーです．アレルギー反応を起こす原因物質である抗原蛋白（アレルゲン）は卵白に多く含まれています．卵黄は脂質が多くタンパク質は少ないので卵黄のアレルギーは少ないのですが，最近，日本では卵黄による食物蛋白誘発胃腸症が増えています．昔から一般的に食物アレルギーという場合には，ある食物に含まれる蛋白質がアレルゲン（抗原）となり，そのアレルゲン（抗原）に対する特異的な免疫グロブリン（Ig）E抗体を作る体質になってしまった人が，その抗原を含む食物を摂取したときにアレルギー反応を起こすことを意味します．これはIgE依存性即時型反応とよばれ，症状としては1時間以内に生ずる蕁麻疹が最も多く，嘔吐・下痢・腹痛，咳・呼吸困難・鼻水，意識消失などを起こすこともあります．卵アレルギーの多くがこのタイプで，卵白が原因抗原であることが多いです（まれですが卵黄のこともあります）．しかし，最近増えている卵黄のアレルギーはこのタイプではなく，卵黄に対する特異的IgE抗体は作られておらず（検査をしても陰性を示す非IgE依存性アレルギー），症状も蕁麻疹はほとんどなく，摂取後3時間くらいして嘔吐をするタイプです．離乳食で卵黄を数回食べた後から発症するケースが多く，消化管アレルギーの一種である食物蛋白誘発胃腸症であると考えられています．しかし，その機序は不明で本当に卵黄に含まれている蛋白質が原因かどうかも確かではありません．ただ，多くの患者さんは1年か2年くらいで自然に治るので，しばらく卵黄だけ除去をして様子をみることになります．

📖 **参考文献**
・厚生労働省好酸球性消化管疾患研究班，日本小児アレルギー学会，日本小児栄養消化器肝臓学会（作成）：新生児・乳児食物蛋白誘発胃腸症診療ガイドライン（実用版）．2019

（大矢　幸弘）

歯科
5〜11か月

Q60 口の中に白いミルクかすのようなものがあります．どうすればよいですか？

A ほとんどの場合は母乳やミルクに含まれているたんぱく質であるため，心配する必要はありません．ただ，口の中を清潔にするためにもガーゼや綿棒などで拭き取るとよいでしょう．ただし，簡単に拭き取れない場合はカンジダ菌（カビの一種）の感染による鵞口瘡（がこうそう）が疑われます．

関連質問 Q 67

Key word ミルクかす，鵞口瘡，カンジダ

解説

鵞口瘡が疑われる場合は，まず乳頭，哺乳瓶やゴム乳首が清潔であるかを確認してください．近年は衛生意識への関心が高く，清潔にしている保護者が多いので，こうした原因での発症は非常に少なくなってきています．そのほかの要因としては発熱などによる体力（免疫）の低下や，抗菌薬を長期服用していると口腔内の細菌叢が変化し，カンジダ菌（candida albicans）が優位に増殖することが考えられます．以上の要因がなく鵞口瘡がみられる場合は，免疫不全症の合併を考慮しなければなりません．

鵞口瘡の予防には，生活習慣をしっかり整えること，口に入れるものを清潔に保つことが重要です．それでも改善がみられない，もしくは悪化する場合は，ミコナゾールゲルを患部に塗布します．

参考文献

- 今井耕輔：口の中にミルクのかすのようなものがいつもあるのですが，大丈夫ですか．小児科診療 2012；75：2045-2048
- 緒方克也，他（編）：第1章 0カ月から6カ月児の口のなか．お母さんに知ってほしい 子どもの口と歯のホームケア．医歯薬出版，1997；25
- 杉田完爾，他：ミコナゾール・ゲル剤を用いた乳幼児口腔カンジダ症の治療．小児科臨床 1995；48：373-376
- 田中秀弥，他：歯科薬物療法に関する文献的考察〜その2 口腔カンジダ症治療薬の使用実態とエビデンス．歯薬物療 2002；21：75-81
- 竹下淳子：赤ちゃんの舌が白くなる原因の一つ鵞口瘡とは．小児科オンラインジャーナル，2021.1.12．（https://journal.syonika.jp/2021/ol/12/thrush/）2022年8月26日閲覧

（福田 敦史，齊藤 正人）

歯 科
5〜11か月

Q61 よだれがすごく多いのですが，よいですか？

A 乳児期のよだれは生理的なものと考えてよいでしょう．乳児では交感神経が緊張して唾液分泌が抑制されることは少なく，唾液を規則的に嚥下する仕組みも未発達です．また歯の萌出時（6 か月頃）は唾液が多くなるので，ついついよだれとなってしまうことが多いです．一般には口唇閉鎖ができるようになる 8 か月〜1年以降はそれほど気にならなくなります．

関連質問 Q 63, 67　　Key word　よだれ，唾液腺，生理的嚥下，口唇閉鎖

解説

ヒトの唾液分泌速度は，文献による最も低年齢の報告である 5 歳児で約 2.5 mL/ 分程度です．唾液分泌速度は唾液腺の発育とともに増加し，15 歳くらいで成人の域に達します．小児は 1 分あたりの分泌量は少ないのですが，口腔の容積が小さいので相対的に分泌量が多く感じられます．通常，口腔に分泌された唾液は，生理的に行う嚥下によって嚥下されますので口腔からあふれるということはありません（図）[1]．しかし乳児期は自律神経系が未発達で，交感神経，副交感神経の支配がはっきり機能していないため，寝ているとき以外は，唾液は出続けています．口唇周囲の筋肉が未熟で口唇閉鎖が苦手ですから口腔に唾液をとどめることができません．ですから，よだれとは唾液が多すぎるのではなく，唾液を規則的に嚥下しないために口腔からあふれている状態をいいます．歯の萌出時にはときに違和感，痛みが伴うこともあり，この刺激は唾液分泌を促進する因子ともなります．またこの時期は物事に集中するとほかのことができなくなり，つい嚥下を忘れてしまうこともあるでしょう．離乳食が進むと口唇閉鎖もできるようになり，自然とよだれは減っていきます．

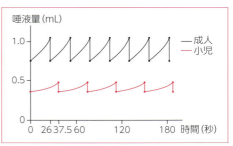

図　生理的嚥下による口腔の唾液量の変化

(Watanabe S, Dawes C：Salivary flow and salivary film thickness in five-year-old children. J Dent Res 1990；69：1150-1153 より作成)

文献
1) Watanabe S, Dawes C：Salivary flow and salivary film thickness in five-year-old children. J Dent Res 1990；69：1150-1153

（渡部 茂）

歯科
5～11か月

Q62 乳歯はいつ頃から，どのような順番で生えますか？生え揃うのはいつ頃ですか？

A 一般的に乳歯は生後6～7か月頃に下顎乳中切歯から生え始め，3歳頃までにすべての乳歯が生え揃います．しかし，萌出時期や順序には個体差がありますので，3～5か月くらいの差異は気にする必要はありません．

関連質問 Q 63, 119　　🔍 **Key word** 乳歯，萌出順序

解説

一般的に乳歯（図）は，表の順番で歯が生えてきます（個人，人種，性別によって多少の違いがあります）．

表　歯の萌出順序

順序	1	2	3	4	5	6	7	8	9	10
上顎		A	B		D		C			E
下顎	A			B		D		C	E	

（日本小児歯科学会：日本人小児における乳歯・永久歯の萌出時期に関する調査研究．小児歯誌 1988；26：6）

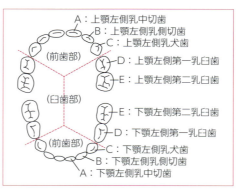

図　乳歯の名称

📖 参考文献

・有田憲司，他：日本人小児における乳歯・永久歯の萌出時期に関する調査研究II～その1．乳歯について～．小児歯誌 2019；57：45-53

（福田 敦史，齊藤 正人）

歯科
5～11か月

Q63
歯が生えるときに違和感はありますか？ 対策はありますか？

A
初めて歯が生えてくる頃はムズムズした感覚があるため，手を口に入れたり，物を噛んだりすることはよくありますが，特に問題ありません．まれに，生後6～8か月頃，乳歯が初めて生えてくるときによだれがダラダラと流れたり，発熱や食欲不振を起こすことがありますが，一時的なものです．

関連質問 Q 62　　🔍 **Key word**　萌出歯肉炎，歯固め

解説

最初の下の前歯が生えてくる頃，痛みはほとんどないはずですが，乳児にとって歯が生えてくる過程はムズムズした感覚があるかもしれません．

生えている途中の歯の周りにプラークや食べかすが付着していると，歯茎（歯ぐき）に炎症が生じ，腫れを伴い，噛んだときに歯茎を傷つけることがあります．これを萌出歯肉炎といいます(図)．ときに機嫌が悪い，食欲不振などを呈することがありますので歯科医院へ受診し，歯茎の周りを清掃することをお勧めしますが，歯が生えてくるに従い症状は解消されます．

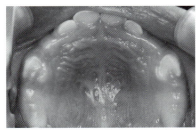

図　萌出歯肉炎

(佐藤秀夫，他：第3章 頭蓋と顎の発育．口腔機能の発達．新谷誠康(主幹)，有田憲司，他(編)：小児歯科学ベーシックテキスト 第2版．永末書店，2019：54)

📖 参考文献
・緒方克也，他(編)：お母さんに知ってほしい 子どもの口と歯のホームケア．医歯薬出版，1997：109

（福田 敦史，齊藤 正人）

5～11か月（乳児中期～後期）

歯科
5〜11か月

Q64 哺乳瓶のゴム乳首での授乳は，口腔の発達によくないですか？

A 哺乳瓶のゴム乳首の使用により口腔周囲筋の発達に悪影響を与えるという科学的根拠はありません．しかし，基本的には月齢に合わせて，適正な乳首のサイズや穴の形状を選ぶ必要があります．また乳首の素材により，哺乳力が弱くても飲めるもの，ある程度の哺乳力を要するものがあります．哺乳瓶のゴム乳首は，赤ちゃんの成長，個性に合わせて選ぶことが大切です．

関連質問 Q.65, 66　　Key word　哺乳瓶，ゴム乳首，口腔の発達

解説

哺乳瓶のゴム乳首はメーカーにより形態や穴の形が異なります．ゴム乳首の形態は主に丸型，平型，ヌーク型などがあります（図1）．ヌーク型は母乳授乳時の乳児口腔内の乳首の形態に一致するような形態をしていることから，使用を推奨する意見があります．しかし，口腔周囲筋の発達を促すなどの科学的根拠は今のところ明らかになっていません．ゴム乳首の穴の形は，新生児や吸う力の弱い子に向いている丸型，生後3〜4か月以降向けのスリーカット（Y型），生後3〜4か月以降で哺乳量が多い子向けのクロスカット（X型）があります（図2）．ミルクを与える時は赤ちゃんの姿勢も大変重要です．赤ちゃんの上体をやや起こすようにしてミルクを与えるようにします．

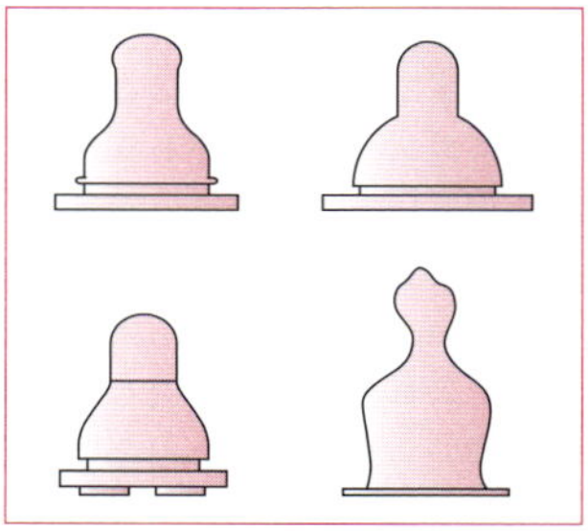

図1　ゴム乳首の形態

丸穴	スリーカット	クロスカット
●	Y	X
新生児期向け	生後2〜3か月以降向け	生後2〜3か月以降向け
自然にミルクが出るようになっており，吸う力が弱い子に向いている．	吸う力によってミルクの量が調整可能である．	吸う力でミルクの量が調整可能である，哺乳量がスリーカットより多い場合に向いている．

図2　ゴム乳首の穴の形

参考文献

- 日本小児歯科学会（編）：第3章 相談・保健指導のQ&A①哺乳，離乳，卒乳，哺乳ビンの中止．親と子の健やかな育ちに寄り添う 乳幼児の口と歯の健診ガイド．医歯薬出版，2005；39
- 池田市歯科医師会母親Q&A検討委員会（著），井上裕子，他（監修）：第5章 授乳期(2)人工乳・哺乳瓶に関するQ&Aの基本．すぐに役立つ歯育て支援Q&A〜お母さんたちからの194の質問に答えて．クインテッセンス出版，2005；33
- 松原まなみ，他：人工乳首の特性に関する実験的研究．小児歯誌 1996；34：201-207
- 大久保真衣（監修・著）：診察室でもぐもぐの発達を支える本 子どもの成長にあわせた口と食，くせの観察・指導法．クインテッセンス出版，2022；32-33

（福田 敦史，齊藤 正人）

歯科
5〜11か月

Q65 指しゃぶりがやめられません．歯並びに影響がありますか？ なぜするのですか？

A 指しゃぶりは胎児期でも既にみられ，乳児期の指しゃぶりは吸啜機能と関係した生理的なものであり，機能的発達を促す役割もあります．しかし，習慣性の指しゃぶりは，開咬や上顎前突など歯並びや顎の発育に影響を及ぼすことがあります．3歳頃までにやめることができれば口腔に出現した問題も自然と改善することが期待できます．

関連質問 Q.64, 66, 98　　**Key word** 指しゃぶり，歯並び

解説

赤ちゃんは母親のお腹の中にいるときから既に指しゃぶりをすることがあり，この行為は生まれた後に自らの力で哺乳するための哺乳反射の成熟を促していると考えられています．

出生後2〜4か月後頃より，手の動きが活発になると，哺乳反射とあいまって指しゃぶりをすることがあります．哺乳反射が消失し始める4〜5か月後頃より，目と手，手と口の協調的な随意運動が始まることで，本格的な指しゃぶりが開始されます．この頃から何でも口に物をもっていく時期を迎えますが，これらの行動を通し，食べる，話すといった口腔機能の発達が促されます．また，指しゃぶりには精神的安定を高める効果もあります．一方で，習慣的な指しゃぶりは，開咬や上顎前突，歯列弓狭窄，交叉咬合など，口腔の形態へ影響を及ぼしてきます．これらは指しゃぶりを行っていた期間や頻度，強さ，時間と関連しています．しかし，一時的に生じた形態異常も3歳頃までにやめることができれば自然と改善することが期待できます．したがって，2歳半〜3歳頃までの指しゃぶりは温かく見守って問題ありません．3歳頃には心身の発達に伴う社会性の広がりや手や身体を使った遊びの変化などにより徐々に指しゃぶりが減ってきますが，習慣化しないように3歳を過ぎた指しゃぶりはやめさせたいものです．半ば強制的にやめさせる方法（市販の補正グッズや治療用習癖除去装置など）もありますが，3歳を過ぎると物事への理解も進みますので，どのような状況で指しゃぶりをしているのか分析し，その状況や成長発達に合わせた対策が効果的です．例えば，子どもが興味をもつような遊びや話をする機会や親子のふれあいを増やしたり，就寝時であれば添い寝をしながら手を握ってあげたりするなどして，生活全体を見直すことで自然に解決できる方法がみつかる場合が多いです．できれば子どもが自らの力で指しゃぶりをやめることができるように，家族全員で協力して優しく励まします．幼児期後半〜学童期を過ぎても指しゃぶりをしている場合には，子どもが抱える問題が複雑な場合もあり，専門家を交えた多角的視点での積極的な介入と支援が必要になる場合もあります．

参考文献
・小児科と小児歯科の保健検討委員会：指しゃぶりについての考え方．小児保健研 2006；3：513-515

（岩本 勉）

歯科
5〜11か月

Q66 おしゃぶりの使用は歯と口に悪影響がありますか？

A おしゃぶりを吸う行為で乳児はリラックスすることができ，精神的安定が期待できます．その結果，泣きやんだり，入眠がスムーズにできたりします．その一方で，習慣的になりやすく，指しゃぶり同様に長期間にわたって使用すると歯の萌出や顎の発育に問題が生じることがあります．

関連質問 Q 64, 65, 98　　**Key word** おしゃぶり，歯並び

解説

　一般的におしゃぶりと指しゃぶりは同義的に捉えられているところがありますが，口にくわえるという意味では共通していても異なるものとみなします．それは，指しゃぶりは乳児が自ら始める自然な行為ですが，おしゃぶりは育児用品であり，その開始や使用は乳児の意志とは異なり，保護者の意志に決定が委ねられているところです．

　おしゃぶりの使用は，精神的に安定する，簡単に泣きやむ，静かになる，入眠がスムーズになる，子育てのストレスを軽減できる，といった利点が言われています．しかしながら，子どもがどうして泣いているのか考えず使用することもあり，子どもが訴えている本当のサインを見逃してしまっている場合もあります．一方で，発達過程にある子どもが発語などで自らの意思を表現したり，口に手や物をもっていったりすることによってさまざまな学習をしたりする大切な機会を奪っている可能性が懸念されています．しかしながら，利点，欠点ともに実際の科学的根拠に基づく検討は不十分な点が多いのも実情です．諸外国では積極的な使用を推奨している国もあり，地域や文化，時代的背景による解釈で意見が大きく分かれています．いずれにしても習慣的になりやすく，長期間の使用によって，指しゃぶり同様に開咬や上顎前突といった歯並びや顎の発育，口腔機能に影響がでることがある点は多くの施設で証明されています．おしゃぶりは指しゃぶりよりも吸啜時間が長くなる傾向にあり，噛み合わせへの影響が早くでやすくなることも明らかとなっています．したがって，発語や言葉を覚える1歳を過ぎたら常時使用はしないように心掛け，遅くとも2歳過ぎまでには使用を中止することが望ましいと考えられます．

参考文献

- 日本小児歯科学会（小児科と小児歯科の保健検討委員会）：おしゃぶりについての考え方．(http://www.jspd.or.jp/common/pdf/06_03.pdf) 2022年10月4日閲覧

（岩本　勉）

歯科
5〜11か月

Q67 歯磨きはいつから始めたらよいですか？ 歯ブラシや歯磨き粉はどのようなものを選んだらよいですか？ 電動歯ブラシは使用してもよいですか？

A 基本的に歯磨きは最初の歯が生えてから行います．最初の歯ブラシは毛足が短く，毛束が密集しているものを選んでください．歯磨き粉はしっかりうがいができるようになってから使用を検討します．電動歯ブラシの刺激は強すぎることがありますので，この時期の使用はお勧めしません．

関連質問 Q.99 　🔍 **Key word** 歯磨き，歯ブラシ，電動歯ブラシ

5〜11か月（乳児中期〜後期）

  解説

　基本的に歯磨きは最初の乳歯が生えてからになります．最初の乳歯は一般的に下顎から萌出し，平均して6,7か月頃になりますが，乳歯の萌出には個人差があることも理解しておくとよいでしょう．さて，歯磨きですが，いきなり歯ブラシで磨かれると子どもはびっくりして嫌がります．そのため，歯が生える時期が近づいてきたら口の周りや口の中を清潔な指やガーゼで優しく触れるスキンシップを図り，口の中の感覚刺激に慣らしておくことは乳児が歯磨きを受け入れやすくなる有効的な手法になります．歯磨きは子どもを仰向けに寝かせ，頭を保護者の膝の上にのせた状態にして行います．最初は手のひらや指でやさしく口の周りに触れ，唇，そして口の中へと触れていきます．歯が生えてきた最初は清潔なガーゼを用いてガーゼ磨きから開始するとよいでしょう．しかし，歯の萌出や離乳食が進んでくると歯に付着する汚れも変化し，ガーゼ磨きではかえって汚れを広げてしまいますので，歯ブラシが必要になります．歯ブラシは毛足が短く，毛束が密集しているものを選んでください．歯ブラシが歯肉や上唇小帯にあたってしまうと歯磨きを嫌がる要因になってしまうことがあります．歯ブラシを強く握らず軽い力で保持し，歯ブラシの毛の先を意識して小刻みに優しくマッサージをする感覚で磨くとよいでしょう．この時期はうがいができませんので，歯磨き粉はうがいがしっかりできるようになってから使うことを検討してください．また，電動歯ブラシも乳児期には刺激が強すぎることがあります．音や振動でかえって歯磨きに対する恐怖心を煽ってしまう可能性もありますのでこの時期の使用はお勧めいたしません．歯磨きをするときに大切なことは，楽しく優しい雰囲気で行うことです．嫌がらずにできるように声をかけたり，歌を聞かせたりしながら，短時間で終わるような工夫もしてみてください．子どもが拒否を示し，泣いたとしても最後には上手にできたことを褒めてあげてください．また，歯磨きが楽しい親子のスキンシップの場になるように心掛けることも大切です．

（岩本　勉）

歯科
5～11か月

Q68 むし歯になりやすいのはどの歯ですか？どのような状態のときになりますか？

A 乳児期は上下4本の前歯が萌出してきますが，この時期は自浄作用に乏しい上の前歯がむし歯になりやすいです．母乳だけを飲んでいるときにはむし歯はできにくいですが，母乳と同時に離乳食やおやつ，糖質を含んだ飲料を摂取し始めると，むし歯になる危険性は極めて高くなります．

関連質問 Q 64, 69

Key word 乳歯う蝕，哺乳（瓶）う蝕

解説

う蝕（むし歯）の原因菌は，ショ糖を代謝することによってグルカンを合成し歯の表面に強固に付着します．このときに，スクロースの代謝産物として歯を溶かす酸を産生します．その結果，歯の脱灰が起こりむし歯ができます．母乳に含まれる乳糖から酸は産生されにくいのですが，最近では条件によっては母乳もむし歯の原因になることが明らかになりつつあります．また，赤ちゃんは母乳や哺乳瓶でミルクを飲む際に，舌と口蓋で乳首を圧迫し哺乳するため，母乳やミルクは上の前歯の裏側や唇との間の外側にたまりやすくなります．哺乳した直後にそのまま寝てしまうと，寝ている間は唾液の量が減ってしまうため，唾液による自浄作用が低下することで，上の前歯がむし歯になりやすくなります．

離乳食が始まるとショ糖を含んだ食品の摂取の機会が増えてきますので，う蝕には注意が必要になってきます．乳歯は硬度が低く，酸に対する抵抗性が低いといった物理的・化学的特徴もあり，永久歯に比べてう蝕になりやすく進行が早いのが特徴です．離乳食を食べた後にきっちりと歯磨きができればよいのですが，歯磨きも難しい時期になりますので，完璧に汚れをとるのは簡単ではありません．そのため，離乳食による歯の汚れが残った場合に，そこに母乳やミルクが歯の汚れを覆ってしまうと，よりいっそうう蝕が進行する条件が整ってきます．したがって離乳食が始まってからの授乳には注意が必要です．

授乳期を超えた長期授乳の場合，あるいは乳酸飲料・スポーツ飲料といった糖分を多く含む飲料を哺乳瓶に入れて飲ませている場合には，極めて早い段階で，多歯面に及ぶ重度う蝕が広範囲にみられることがあります．背景には体によいものを与えたいという親の願いと，長期授乳に関しては母親の育児に対する強い考えがある場合もありますので，母親や保護者の理解と協力のもとに問題解決を図ることが望ましいです．

参考文献
・日本小児歯科学会（小児科と小児歯科の保健検討委員会）：母乳とむし歯～現在の考え方．(http://www.jspd.or.jp/common/pdf/06_03.pdf) 2022年10月4日閲覧

（岩本 勉）

歯 科
5～11ヵ月

Q69 歯が生えていますが，夜間に授乳しています．むし歯の予防法はありますか？

A 歯が生えるとむし歯の原因菌（ミュータンスレンサ球菌など）が歯面に定着しやすくなるため，日中はガーゼでの清拭や歯磨きを行い，フッ化物塗布など歯科での指導・管理を勧めます．

関連質問 Q.68

🔍 **Key word** 夜間授乳，う蝕予防

解説

乳歯萌出以前の生後6か月以下の子どもからはミュータンスレンサ球菌（*Streptococcus mutans*）は検出されず，乳歯萌出後に検出率が増加します．下の前歯だけが生えているなら，日中の離乳食後に濡らしたガーゼや綿棒で清拭するだけでも構いません[1]．上の前歯が生えたら歯ブラシも使用し始め，日中のケアを励行します．汚れは歯と歯肉との境目に付着・停滞しやすく，放置すると細菌が糖を分解して酸を産生します．徐々に歯のエナメル質表層から脱灰が進みう蝕となりエナメル質表層が脱灰します．乳側切歯が萌出したら歯と歯の間の汚れにも注意し，刷掃指導やフッ化物歯面塗布など歯科的管理を活用します．

1歳以降は甘味飲食物をとる機会も増え，歯磨きしにくい奥歯（第一乳臼歯）も生え始めて細菌がより定着しやすくなります．歯垢が十分除去できない状態で，夜間授乳により母乳や人工乳が口腔内に残っていると，う蝕（むし歯）発生のリスクが高まります．離乳後期で食事による栄養が十分なら，夜間授乳を抑えられるよう少しずつ準備します．哺乳瓶を2本用意して夜間授乳全体量のうち1割を白湯にして授乳後に飲ませます．白湯の割合を徐々に増やしつつ，全体量を減らしていくのも1つの方法です．授乳中のう蝕予防のためには，①前歯が生えたら食後にガーゼや綿棒で清拭し，就寝前に歯磨きを行う，②歯磨き指導やフッ化物塗布をする，③離乳食での栄養補給と日中に楽しく運動させる，④間食は時間と量を決め，甘味飲食物を控える，⑤乳臼歯が萌出したらシーラント（歯の溝をフッ化物入りの樹脂でコーティングする）を勧める，⑥徐々に卒乳を進める，など離乳食の進行に合わせながら上手に歯科的管理を活用します．

📖 文献

1) 日本小児歯科学会：こどもたちの口と歯の質問箱．産まれてから2歳頃まで．(http://www.jspd.or.jp/question/2years_old) 2022年10月17日閲覧

（島村 和宏）

歯科
5〜11ヵ月

Q.70 食事のときに食器を共有すると，むし歯がうつるのですか？

A むし歯が多い保護者の唾液のなかには，むし歯の原因菌であるミュータンスレンサ球菌が高濃度に含まれており子どもに伝播しやすいため，食器の共有は避けたほうがよいです．

関連質問 Q.68　　🔍 **Key word**　食具の共有，う蝕予防

解説

お湯で粉ミルクを溶かした後に，温度を確かめようと哺乳瓶の乳首をくわえたり，離乳食を与えるときのスプーンをつい口に含んだりすることがあります．唾液中にはさまざまな細菌が存在しますが，う蝕（むし歯）の多い保護者の唾液中には，う蝕の原因菌であるミュータンスレンサ球菌（*Streptococcus mutans*）が高濃度に含まれています．子どものミュータンスレンサ球菌は保護者（主に母親）から伝播すること多いことから[1]，保護者にう蝕が多い場合は特に注意が必要です．歯が生える前の乳児の口腔内からはミュータンスレンサ球菌は検出されませんが，歯が生え始めた1歳前後から定着して，歯の数が増えるにつれて検出率が増加します[2]．親子間のキス程度や，う蝕がないか治療済みであれば伝播しにくいとされていますが，食具を共有したり食べ物を口移しで与えたり，また歯ブラシを共有することも避けたほうがよいでしょう．

子どものう蝕予防には，保護者の口のケアが大切です．妊娠以前に歯科治療を終えて指導管理されていることが望ましいですが，子育て中でも積極的に歯科を受診し，保護者自身がう蝕治療や指導を受けることで，子どものう蝕リスク軽減につながります．

📖 文献

1) 日本小児歯科学会：子どもたちの口と歯の質問箱．(http://www.jspd.or.jp/question/)
2) 櫻井敦朗, 新谷誠康：第11章 齲蝕の予防と進行抑制．新谷誠康（主幹），有田憲司，他（編）：小児歯科学ベーシックテキスト 第2版．永末書店，2019：197-214

（島村　和宏）

歯科
5〜11ヵ月

Q.71
歯科医院でのフッ化物歯面塗布は，何歳からできますか？

A
萌出直後の歯はまだ石灰化の程度が低く，むし歯になりやすい弱い状態です．そのため，フッ化物の応用は歯が萌出した直後から行うのが効果的といえます．歯が生え始めたらすぐに塗布できます．

関連質問 Q 69, 167　　　🔍 **Key word**　フッ化物歯面塗布，う蝕予防

解説

フッ化物の応用により，エナメル質表層のヒドロキシアパタイト（hydroxyapatite：HAp）が，徐々に反応して耐酸性の高いフッ素化ヒドロキシアパタイトとして存在すると考えられています[1]．また，酸性下でカルシウム（Ca）やリン（P）が溶出しても，フッ化物の存在下での再石灰化による歯質の修復が期待されます．歯は，萌出後に唾液に触れることでしだいに成熟して硬さが増していきますが，萌出直後の歯はまだ石灰化の程度が低く，う蝕（むし歯）になりやすい弱い状態です．

そこで，フッ化物の応用は乳歯も永久歯もともに，歯が萌出した直後から行うのが効果的です．フッ化物の溶液を綿球や綿棒で歯面に塗布する方法や，ゲル状のものを歯ブラシにつけて磨くように塗布する方法，さらに子どもの協力度によりますが，3歳以降であればゲル状フッ化物溶液を歯列に合わせたトレーに入れて口腔内で保持させる方法もあります．甘酸っぱい味のため，塗布中に泣いたり吐いたりする子どももいますが，うがいができない子どもでも可能で，年に1〜2回程度塗布します．フッ化物の洗口は毎日でもできる効果的なう蝕予防法ですが，誤って溶液を飲み込まないよう，留意する必要があり，おおむね4歳以降できちんとうがいができることが条件です．まずはかかりつけの歯科医院で相談し，歯磨きの指導とともに受けてほしいものです．子ども自身の歯磨きの習慣づけや保護者による仕上げ磨き励行とともに，規則正しい食生活もう蝕予防のための重要なポイントです．

📖 文献
1) 櫻井敦朗，新谷誠康：第11章 齲蝕の予防と進行抑制．新谷誠康（主幹），有田憲司，他（編）：小児歯科学ベーシックテキスト 第2版．永末書店，2019：197-214

（島村 和宏）

5〜11か月（乳児中期〜後期）

歯科
5～11ヵ月

Q72
上唇小帯が厚く，前歯にすき間があります．治療が必要ですか？

A
哺乳時に影響がなければ乳歯列の間は経過観察し，上の前歯が生え揃う7～8歳頃，またはその隣りの切歯も生え始めた頃に隙間があれば，切除・伸展術を行います．

関連質問 Q170

Key word 上唇小帯，正中離開

解説

切歯乳頭部に付着する小帯が，歯槽骨成長や歯の萌出に伴っても位置を変えなかったり，歯槽頂を越えて口蓋の切歯乳頭まで小帯線維が入っている場合，切歯間の離開がみられることがあります．小帯が扇型に広がって上唇粘膜に付着していると，口腔前庭での自浄性が低下し歯肉炎の誘因ともなり，また乳歯の萌出障害や切歯の位置異常がみられることもあります．哺乳時に問題がなければ経過観察とし，上顎中切歯や側切歯が萌出する7～8歳頃に正中離開があれば，切除・伸展術を行います．術後，側切歯や犬歯が萌出しても離開が閉鎖しない場合は歯列矯正の治療が必要です[1]．

上口唇を上方に牽引すると，小帯の付着部分で歯肉に貧血帯が生じ白色を呈し，小帯線維の進入が確認できます（Blanchテスト，図）．乳首の捕捉・吸啜に著しい影響がなければ，乳歯列期の間は経過観察とします．上唇の運動制限や歯垢清掃困難による歯肉炎が著しい場合は乳歯列期でも切除することがあるため，かかりつけ歯科医院での診察・管理が必要です．

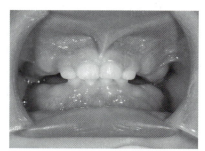

図　1歳児の上唇小帯の付着位置異常
小帯が厚く扇型で，上顎乳中切歯間に貧血帯がみられる．

文献
1) 島村和宏，他：第15章 顎骨と口腔軟組織の疾患．新谷誠康(主幹)，有田憲司，他(編)：小児歯科学ベーシックテキスト 第2版．永末書店，2019：293-306

（島村 和宏）

歯 科
5～11ヵ月

Q73
歯の先天欠如とはどのようなものですか？ いつわかりますか？

A
乳歯は上下左右に5本ずつ計20本，永久歯は親不知（おやしらず）を除き7本ずつ計28本あり，そのなかで生まれつき歯の数が足らないことを先天欠如といいます．乳歯は1歳，永久歯は7～8歳で歯の頭（歯冠）ができあがるので，X線写真を撮れば確認できます．

関連質問 Q 62

Key word 先天欠如，歯列咬合異常，遺伝的要因

解説

乳歯の発生は，胎生6～7週頃の口腔上皮の肥厚（歯堤）によって歯胚の形成が始まり，細胞分化と形態分化の後，胎生4～5か月頃から石灰化を開始します．永久歯は胎生4～5か月頃に歯胚が形成し始め，出生後から石灰化を開始します．乳歯は1歳まで，永久歯は8歳までには歯冠の石灰化が終わるため，X線撮影が可能であれば，随時歯の欠如の有無を確認できます．乳歯先天欠如の頻度は1％程度と低く，永久歯は10％程度です．歯種では，下顎第二小臼歯が最も多く，次いで下顎側切歯，上顎第二小臼歯，上顎側切歯に多いとされています[1]．

乳歯が先天欠如でも，永久歯が存在することもあります．また癒合歯といって発生過程で2つの歯が癒合している場合もあります．永久歯が欠如している場合，乳歯を長く健全な状態で残すことで将来の歯列咬合の異常を軽減させることにつながります．歯列咬合の成長状況に応じて抜歯や歯列矯正が必要になることもあります．多数歯の欠如では早い時期から可撤保隙装置（小児義歯）を装着することもあり，将来的にはインプラントやブリッジなどの選択肢もあります．かかりつけ歯科医院で相談しながら，定期的診察と管理を受けることが重要です．

文献
1) 山崎要一，他：日本人小児の永久歯先天性欠如に関する疫学調査．小児歯誌 2010；48：29-39

（島村 和宏）

歯科
5〜11か月

Q74 歯の萌出と離乳食にはどのような関係がありますか？

A 咀嚼は原始反射で誘導される吸啜とは違い，歯の萌出に合わせて，口唇を閉じて嚥下する，舌や歯茎で押しつぶす，歯で噛み砕くなど，一連の機能を順序よく体得することで確立されます．この間，食物の物性の違い，口腔内での食べたものの移動，粉砕程度，水分量などの変化を通じて食塊形成を学習します．

関連質問 Q.97, 98　　🔍 **Key word**　離乳食，歯の萌出，咬合

解説

吸啜から咀嚼への転換は，ヒトをはじめ哺乳動物の摂食行動の特徴的変化で，咀嚼の開始には歯の萌出とそれに伴う歯根膜周囲組織からの刺激がかかわっているといわれています[1]．乳歯の萌出は生後6〜7か月に始まりますが，生歯前(5か月頃)から舌，歯槽提で食片を周期的に押しつぶす動作がみられることから，生歯前に中枢神経系による咀嚼への誘導が開始されている可能性は高いと思われます．そして歯の萌出に伴い，より強い末梢からの感覚が中枢に伝わることにより，顎，舌，顔面の筋肉の活動が同一リズムで協調された運動として確立されていくと考えられます．この時期は咀嚼運動の臨界期とよんでおり，何らかの影響でこの過程を経なかった場合，後のシステミックな咀嚼の確立に影響が及ぶといわれています．完全無歯症に近い外胚葉異形成症の患児に，4歳になって乳歯義歯を装着しても咀嚼できなかった例などが報告されています．

下顎乳前歯が萌出する離乳初期(5〜6か月)では，舌運動は前後運度を行い，どろどろ状の離乳食(つぶし粥，パン粥など)を，上唇を下げて口唇を閉じて嚥下する成人型の嚥下が行われるようになります．離乳中期(7〜8か月)では，舌は上下運動が加わり，舌と口蓋でつぶすようになり，離乳食は舌でつぶせる程度の硬さとなります．

離乳後期(9〜11か月)では，乳中切歯(A)に続いて乳側切歯(B)が萌出して4前歯が咬合すると(図1)，今まで無秩序だった下顎の運動が制御され始めます．舌は左右運動が加わり，食塊を歯茎のところへ移動して歯茎食べができるようになります．そして満1歳頃には，乳犬歯(C)の前に第一乳臼歯(D)が萌出して臼歯を使った咀嚼が始まります(図2)．(D)の萌出は萌出順番の原則(前方の歯から順番に萌出する)から外れますが，咬合の安定化を早期に確立させることに役立っています．この頃には離乳が完了します[2]．

乳歯列前期の咀嚼はこのDの咬合が鍵を握り，1歳半には上下左右のA,B,C,D，計16歯が萌出し，食物の種類，性状に対応した咀嚼ができるようになります(離乳完了期)．(図3)．

歯 科
5〜11か月

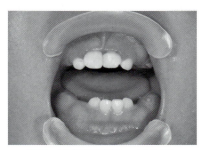

図1 乳前歯萌出（9〜11か月）

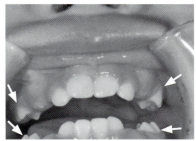

図2 犬歯の前に第1乳臼歯の萌出（12〜15か月）

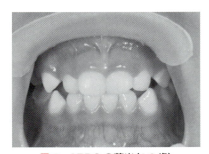

図3 ABDCの萌出（1.6歳）

📖 文献
1) 飯沼光生：イヌ離乳期の咀嚼機構に関する実験的研究．小児歯誌 1985；23：361-377
2) 今村英一：育児栄養学 乳幼児栄養の実際．日本小児医事出版，1995；95-126

（渡部 茂）

1〜2歳
（幼児前期）

栄養 1〜2歳

Q75 1歳児健診で低体重といわれました．受診が必要ですか？

A 1歳児での低体重は，身長が伸びていて，規則的に食事が摂取できて，発達状況に問題がなければ通常は受診の必要はありません．しかし，出生体重が少なかった場合には，その後の過食やそこからの肥満につながることがあります．120ページも参照してください（DOHaD仮説）．

関連質問 Q.79, 106, 112

Key word 低体重，DOHaD仮説

解説

満期産の場合には，発達状況や食事状況に問題がなければ何もないことが多いのです．十分に食べていても，運動量が多いなどによって体重の増加が抑えられている場合もありますが，この場合には身長の伸びには問題がないことが多いです．

例えば，視線が合わない，動作の模倣がないなど，自閉スペクトラム症を疑わせるような症状がみられる場合，食事が1歳になっても離乳が進まず，母乳依存が続いている，市販のベビーフードなど決まったものだけを与えているというような場合には，保健センターでの相談やかかりつけ医への受診を勧めることもあります．

1歳になれば，つかまり立ちはほぼできるようになりますが，この時期になっても立つ姿勢をとれない，立ったとしてもつま先立ちで足底全体を床につけることができないなど運動発達の遅れもみられる場合にも，受診を勧めます．

低出生体重児の場合には，多くの場合在胎週数も少ないのですが，DOHaD（developmental origins of health and disease）仮説にあるように子宮内環境の飢餓状況を出生後に取り返そうとして肥満につながることがあります．出生体重にもよりますが，1,500g以下の場合には1歳時点ではまだ肥満ではなく低体重と判定されることもあります．このような場合に食事摂取量を増やすように勧めていると，食事摂取量が幼児期に激増して肥満につながる場合もあります．この場合にもあくまでバランスよく規則正しく食べることが大切で，量を増やすことを焦る必要はありません．

いずれにしても何でも相談できるかかりつけ医がいれば，気になったときには相談をお勧めしています．

参考文献

・堤ちはる，平岩幹男：新訂版 やさしく学べる子どもの食．診断と治療社，2012

（平岩　幹男）

栄養
1〜2歳

Q.76 食事中の乳幼児に起こりやすい事故は何ですか？ どのように防げますか？

A 咀嚼機能が未熟であり，集中できないので，食事中の事故は起こりやすいものです．適切な食べ物を与え，安全な生活環境を整えます．また，食べているときは必ず目を離さないこと，危ないものは手の届く位置に置かないなどの環境づくりが大切です．

関連質問 Q.79

 Key word 窒息，熱傷，転倒

解説

　この時期の事故は，窒息，誤嚥，誤飲，熱傷，転んで食具などで喉を刺す，椅子からの転落などがあります．食べ物では，コンニャクゼリー，もち，ピーナッツ，ミニトマト，丸いアメ，リンゴ片，ブドウ，パン，団子，イクラなど，張りつくものや丸いものは危険です．これらの食べ物は与えないか，小さく切る，食べているときに目を離さないことが大切です．豆やナッツ類などは5歳以下の子には食べさせません．小さく砕いた場合でも，気管に入り込んでしまうと肺炎や気管支炎になるリスクがあります．

　誤飲や窒息を防止するために，円筒形で直径39 mm，奥行き51 mmの「誤飲チェッカー」を活用します．3歳の子が最大限口を開けたときの口の中の広さに相当しますので，誤飲チェッカーに入るものは食べ物であっても注意が必要です．

　熱傷（火傷）は，熱い飲みもの，鍋や電気ポットに触れる，テーブルクロスを引っ張る事故があります．危ないものは手の届く位置に置かないなどの環境づくりが大切です．

　歩き回るようになると，赤ちゃん用せんべいでも喉につかえます．スプーンやフォーク，箸を持たせたままで歩くと転倒して喉を刺すことがありますので，幼児期には先のとがった食器を使わないことや，手に持たせたままや口にくわえたまま歩かせないことが大切です．また，動くことで椅子から落ちる事故もあるので，ベルトを使用するか，落ちない構造の椅子を使用します．

参考文献
- 厚生労働省：厚生労働科学研究補助金特別研究事業 食品による窒息の現状把握と原因分析調査（主任研究者 向井美惠），2009
- 消費者庁：食品による子どもの窒息・誤嚥（ごえん）事故に注意！〜気管支炎や肺炎を起こすおそれも，硬い豆やナッツ類等は5歳以下の子どもには食べさせないで〜．(https://www.caa.go.jp/policies/policy/consumer_safety/caution/caution_047/) 2022年6月21日閲覧

（太田 百合子）

栄養
1〜2歳

Q77 食具の使用はいつ頃始めたらよいですか？ 素材は何がよいですか？

A 「手づかみ食べ」が十分にできるようになり，一方の手で食器を押さえられるようになると，スプーンやフォークが使えるようになります．素材は，柄が短く握りやすくて重くないものが適しています．子どもが扱いやすいものを選びます．

関連質問 Q.37

Key word 手づかみ食べ，扱いやすい素材，握り方の発達

解説

　1歳半頃になると，「手づかみ食べ」で食べ物を口に入れ込んだり押し込むことが少なくなり，一方の手で食器を押さえられるようになるとスプーンやフォークが使えるようになります．

　始めは，食べ物をすくう動作が直線的な動きであり，食べ物を口に運ぶ協調動作も未熟な時期ですから，食べやすいスプーンやフォーク選びは重要です．軽量で柄が短くて握りやすいものが適しています．スプーンのくぼみの大きさは口の幅の約3分の2を目安にすると，口唇を使って食べることができます．フォークは，一口大にした食べ物を刺して口の奥に押し込むような食べ方をしてしまうと，食べ物を処理することがうまくできずに誤嚥や丸飲みになってしまいます．口唇で食べ物を挟むような食べ方ができているか確認する必要があります．

　握り方は，発達に伴い変化します．指先を使用して食べられるようになるのは，2〜3歳であることからも，スプーン，フォークの使用を急ぎ過ぎる必要はありません．

　箸は，3歳半前後から使用します．手指機能が未熟なときに無理やり箸を持たせると「握り箸」のようになることもあるので，5〜6歳までは自然体で見守ることが大切です．市販の訓練用の箸は，食べ物を挟むことができるので興味を持ちますが，正しい箸使いに移行できるものではありません．

　ストローは，スプーンなどでしっかりと飲めるようになったら使えます．ストローの先端を唇でくわえながら吸っているか確認します．

参考文献
・向井美惠：乳幼児の摂食指導〜お母さんの疑問にこたえる．医歯薬出版，2000
・巷野悟郎，他（監修）：心・栄養・食べ方を育む乳幼児の食行動と食支援．医歯薬出版，2008

（太田　百合子）

栄養
1〜2歳

Q 78 食事中に遊んでしまい，集中しません．どのように対応したらよいですか？

A 1歳近くなると「自分で食べる」「手づかみで食べたがる」ようになります．行動範囲も広がると食事以外のことにも興味をもち，お腹が満たされると遊び始めます．対策は，食事の前はお腹が空いて楽しく食べられる環境をつくります．

関連質問 Q 79

Key word 自食の開始，空腹感，環境づくり

解説

　1歳頃の子どもは，食べものに触れたり落とすなど，指で触れることで食べ物の固さや大きさを感じるようになります．2歳頃になると，他の人に食べ物を食べさせようとしたり，食器を重ね合わせて保護者の反応を見たりします．このような食事中の行動を通して，食べ物や周囲の人を確認したり受け入れるための学習をしていると考えられます．立ち歩きは，常に新しいことに興味を示し，自由に歩いて移動するため食事に集中できません．

　まずは，食事の前は空腹であることが大切です．授乳回数が多くないか，間食は時間を決めずに与えていないか，外遊びなど体を使った遊びが少なくないかなど，生活習慣を整えます．食卓に座っていたくなるような環境づくりも大切です．食事の前はおもちゃを片づける，手を洗う，エプロンをする，「いただきます」を言うなどの決めごとの流れがあるといいでしょう．食事中は食べ物に集中できるように，テレビなどの映像を見ながら食べさせない，保護者は一緒に同じものを食べながら気が散らないように「おいしいよ」「噛むとどんな音がするかな」などと声をかけて誘います．食べたくない様子がみられたら，無理強いせずに30分くらいをめどに切りあげるようにします．楽しく食べられる環境を整えると，成長とともに食卓に座り，食事に集中できる時間が増えていきます．

参考文献

・巷野悟郎，他（監修）：心・栄養・食べ方を育む乳幼児の食行動と食支援．医歯薬出版，2008

（太田　百合子）

栄養
1〜2歳

Q.79 食欲にむらがあり，食べ残すことも多いです．栄養面で問題はないですか？

A 食欲にむらがあることはどの子にも起こりますが，食べ残しには一定の特徴がないでしょうか．偏食によって特定の食べ物を残しやすいときには栄養面での問題が起こることもあります．また食事中にテレビなどがついていても，こうしたことは起こります．

関連質問 Q.75, 107

Key word ながら食い，偏食，テレビ

解説

まずどのような状況で食事をしているかのチェックが必要です．テレビを見ながら，スマホをみながら，「ながら食い」は「楽しく食事をする」という原則から外れるので，まずはそこをチェックします．食事における「むら」は食事中にテレビやDVDがついていると高率に起きます．

大人はテレビやDVDを「ちら見」して食事を続けることができますが，子ども，特に幼児では見始めるとそちらに集中して，ながら食べにもなりません．食事時間は長くなりがちですし，途中で食欲がなくなってくることもあります．また会話をすることも少なくなります．こうした相談を受けたときに確認してみると，意外にテレビやDVDの視聴が多いことに驚かされます．iPad®などのタブレット端末に触りながら食事をしているという驚きの話もあります．

自閉症スペクトラムなどで感覚過敏があれば，味覚，触覚（食事の場合には食感）での過敏から食べられる場合，食べられない場合が出てくることがあります．食べられるものだけを続けると偏食につながる場合もあります．

特定のものを食べ残すと，栄養面での問題が起こります．多くの場合は偏食に伴って起こりますが，好きなものがだされればよく食べ，嫌いなものがでると残すというパターンです．野菜が嫌いということもありますし，特定の味付けが嫌いということもあります．また乳歯が生え揃うのは3歳頃なので，それまでは咀嚼力に見合わない食品の場合にも残すことがあります．

まずは食事の記録をすることです．紙に書いてもよいですが，食べる前と食べた後をスマホで撮影しておくと一目瞭然になります．その記録を1週間〜1か月集めて，どんなときに何が食べられないのかをチェックしてみましょう．

そうして食べられない食材はサンドイッチ法（食べられるもの同士の間に少量口にさせる：数本のスプーンを並べてそこに食べられるものと挑戦するものを交互に置く方法もあります）や，味付け（濃い味は基本的に避ける）・調理法の工夫（例えばキャベツやレタスは軽く湯通しすることで食感が変えられます）などによって食べられるものを増やします．

参考文献
・平岩幹男：イラスト版　幼児期のライフスキルトレーニング．合同出版．2022

（平岩　幹男）

栄養
1～2歳

Q80 紙を食べていることがありますが，異食症でしょうか？ どのように対応すればよいですか？

A 何でも手当たりしだいに口にもっていくことは乳児期後期～1歳過ぎまではよくみられる行動です．それをみて異食症という判断はできませんが，2歳以降にこうした行動がみられる場合には注意が必要です．いつまでも紙が口の中に残っている場合には，こだわりによって起こっている可能性もあります．

関連質問 Q 112　　🔍 **Key word**　異食，自閉スペクトラム症，反応性愛着障害，児童虐待

解説

　Freud（フロイト）が唱えた口唇期は，乳児期がこれに相当しますし，Piaget（ピアジェ）の分類では感覚運動期に相当する時期です．いろいろな物を唇で触ったり舐めたりという行動で，紙を口にもっていき，咀嚼をしようとするようなことも起こる場合があります．

　まずは全般的な発達症状と対人かかわりのチェックです．運動発達の遅れがあり，対人興味が乏しい（視線が合わない，人より物に興味があるなど）場合には，知的発達の遅れや自閉スペクトラム症を含むコミュニケーションの障害が背後にみられる可能性があります．対人かかわりをどのように増やすかがカギになりますが，まだその方法を伝えられる医療機関は少ないと思います．紙を食べるという行動を禁止しても取り上げても，それが習慣やこだわりになっているときには簡単には止まりません．

　飢餓状態でもこのような異食（pica）は起こりますが，現在のわが国では強度のネグレクトなど以外には考えにくいと思われます．その場合には栄養状態もよくないですし，行動面でも反応性愛着障害などの症状がでているかもしれません．

　2歳を過ぎてからの紙を食べる行動は，疾患としての異食症と判断して構わないと思います．小児期には先述の自閉スペクトラム症や知的発達の遅れも考えておきます．いずれにしても紙を口にもっていくだけではなく，口に入れて日常的に食べるという行動には，何らかの精神心理的背景が存在しうると考えてよいと思われます．

📖 参考文献
・平岩幹男：イラスト版　幼児期のライフスキルトレーニング．合同出版，2022

（平岩 幹男）

栄養 1〜2歳

Q81 魚介類の練り製品を離乳食に使用する場合，気をつけることはありますか？

A 加工品である練り物は，弾力がある，塩分などの調味料が多い，油脂を含むものがある，食品添加物を含むものがあるなどの特徴があります．練り物を使用するときは，原材料を確かめたうえで1歳以降からの使用を目安としましょう．食物アレルギーがある場合も，表示をよく確かめます．

関連質問 Q40

Key word 弾力，塩分，食物アレルギー

解説

　魚を原料にした水産練り製品には，はんぺん，かまぼこ，ちくわ，カニ風味かまぼこ，伊達巻，つみれ，さつま揚げ，なると，魚肉ソーセージなどがあります．奥の歯ぐきで噛めない弾力があるものは，奥歯の生え揃う3歳以降まで控えることが勧められます．塩分は，はんぺん1枚（110 g）1.7 g，ちくわ1本（50 g）1 gです．伊達巻は白身魚のすりみに卵や調味料（砂糖，蜂蜜などを使用）を加えてつくります．さつま揚げはすり身を油で揚げています．市販の練り物は食中毒予防のために粘着剤（リン酸塩），保存料（ソルビン酸）などの食品添加物を使用しているものもあります．味付けの点からは，濃い味に慣れないように，例えば，野菜と調理するときは，練り物からの塩分があるので，調味料は少量にして薄味にすれば，1歳以降から使用できます．

　食物アレルギーがある場合，つなぎとして卵などを使用しているものもあるので，原材料表示を確認します．

参考文献
・文部科学省：日本食品標準成分表2020年版（八訂），2020

（太田　百合子）

栄養
1〜2歳

Q.82 離乳が完了したら，食事はどのようなものがよいですか？

A 体が小さいわりに多くの栄養素を必要とするので，1日3回の食事と1, 2回の間食にします．食事内容は，栄養バランスに配慮し，成人よりも薄味で食べやすい形状にします．自分で食べたい気持ちが芽生えるので，手づかみできるものを用意します．

関連質問 Q.79

Key word 薄味，手づかみ食，調理の工夫

解説

子どもの食べたい意欲が育ち始めるので，発達に合わせて手づかみできる大きさ，スプーンやフォークですくえる大きさや固さなどの工夫が必要になります．しかし，上手に食べることはまだできないので，大人のサポートが全面的に必要です．食べ物を前歯でかじりとり，自分の一口量を覚えていきます．噛みとった食べ物は奥の歯ぐきで押しつぶして食べるので，茹で野菜やイモをスティック状にするとよいでしょう．

献立は変化に富み，必要とする栄養素を組み合わせてつくります．食品の種類，調理法，身体状況，嗜好を考慮した内容とします．幼児期は五感が大切ですから，におい，味，見た目の色彩や，かわいらしい形などにも配慮します．

奥歯が生え揃っていないので，食べづらいものがあります．例えば，ぺらぺらしたもの(レタス，ワカメなど)，皮が口に残るもの(豆，トマトなど)，固過ぎるもの(塊の肉，エビ，イカなど)，弾力のあるもの(コンニャク，かまぼこ，キノコなど)，口の中でまとまらないもの(ブロッコリー，挽き肉など)，唾液を吸うもの(パン，茹で卵，サツマイモなど)に代表されるような食品は，軟らかく煮る，細かくする，とろみをつけるなどの調理の工夫が必要です．

参考文献
・乳幼児食生活研究会(編)：幼児の食生活〜その基本と実際．日本小児医事出版社，2010．

（太田 百合子）

栄養 1～2歳

Q83 幼児にゼリーをあげてもよいですか？ ゼラチンと寒天の違いは何ですか？

A ゼラチンで作ったゼリーは口に入れると溶けますが，寒天で作ったゼリーは口に入れても溶けないという違いがあります．コンニャクゼリーは窒息の危険性がありますので，幼児には与えないようにします．

関連質問 Q.76, 85

Key word ゼラチン，寒天，コンニャク入りゼリー

解説

　ゼラチンの原料は，豚などの骨や皮から抽出した動物性コラーゲンを精製したものです．ゼラチンでつくったゼリーの融解温度は20～30℃で，体温より低い温度で溶けますから，口に入れるとすぐに液体になるので早くから与えることができます．

　寒天の原料は，海藻の「てんぐさ」や「おごのり」です．寒天でつくったゼリーの融解温度は70～80℃で，誤って気管内に誤嚥した場合は，溶けずに危険です．フォークなどで細かくつぶしてから与えるとよいでしょう．市販のゼリーやヨーグルト，プリンなどは寒天が使われていることが多いので，表示をよく確かめます．

　コンニャク入りゼリーは，コンニャクを原料として，ミニカップタイプの商品として販売されています．幼児が食べる際に，容器から直接吸って出し，その勢いで喉に到達した場合には詰まりやすく，口腔内に留まっても噛み切りにくいとされています．凍らせるとつぶせないので，さらに危険です．一般的なゼリーとは性状が大きく異なるため，幼児には与えないことが基本です．

参考文献
- 内閣府国民生活局消費安全課：こんにゃく入りゼリーを含む窒息事故の多い食品に係わるリスクプロファイル．2010

（太田　百合子）

栄養
1〜2歳

Q.84 牛乳を嫌がって飲みません．カルシウム不足になりますか？

A 幼児期は急に牛乳を飲まなくなることはよくあります．一時的なことかもしれませんので，無理強いせずにカルシウムを多く含む他の食品で代用します．栄養バランスをとり1日3回の食事や必要に応じて間食でいろいろな食品を組み合わせます．

関連質問 Q.39　　🔍 **Key word** 嗜好，代替食品，栄養素の組み合わせ

解説

　幼児期に急に牛乳を飲まなくなることはよくあり．一時的な場合もあるので，無理強いせずにほかの食品で代用します．牛乳が飲めなくてもシチューやグラタンなどで牛乳を料理に使うことができます．ヨーグルトやチーズが食べられれば代用できます．それ以外にカルシウムが比較的多く含まれている食品は，桜エビ，しらす，牡蠣，アサリなどの魚介類，豆腐，高野豆腐，納豆，きな粉などの大豆製品，大根葉，モロヘイヤ，小松菜などの緑黄色野菜やゴマなどです．栄養素を意識しながら，いろいろな食品を組み合わせるといいでしょう．

　骨をつくるにはカルシウムとリンのバランスが大切です．カルシウムとリンは1:1のときが最も吸収がよくなります．リンは加工品に多く含まれているので，加工品に頼り過ぎないことも大切です．リン，マグネシウム，ビタミンDと一緒に組み合わせると，吸収率が高まります．逆に，過剰なリン，脂質，砂糖はカルシウムの吸収を妨げます．

　なお，幼児は胃が小さいので必要なエネルギーや栄養素を1日3回の食事で補えないこともあります．その場合には，間食でカルシウムが比較的多く含まれている上記の食品を与えることも勧められます．

📖 参考文献
・文部科学省：日本食品標準成分表2020年版（八訂），2020

（太田 百合子）

栄養
1～2歳

Q85 甘いものを食べさせるときの注意点はありますか？

A 子どもが欲しがるときにだらだらと甘いお菓子を食べさせると，むし歯や偏食につながりやすく，肥満から生活習慣病に移行しやすいので，幼児期からの与え方には気をつける必要があります．

関連質問 Q.42, 108

Key word 肥満，偏食，う蝕

解説

砂糖などの甘味食品を含む糖質は，エネルギー源となるもので成長には欠かせません．甘いものを食べることは，運動後の疲労回復を図ることや気分転換，ストレスを軽減するなどの役割があります．また，脳の唯一の栄養源は糖（グルコース）のため，脳に一定レベルの栄養を蓄えるには，食事と間食をとる時間を規則的にする必要があります．

人工甘味料（キシリトール，アスパルテームなど）は，砂糖と違い酸を産生せず，消化酵素では分解されずに排泄されるので低エネルギーであることや，むし歯（う蝕）になりにくいのでジュースや菓子などに広く利用されています．大量に与えると下痢を起こしやすいので，量を決めることが望ましいでしょう．

子どもが欲しがるたびに頻回に甘いお菓子を食べさせると，う蝕や偏食になりやすいことがあります．また，多量の糖分は中性脂肪や脂肪酸に生合成されて，肥満につながります．中性脂肪が増えると血清コレステロールを上昇させやすくなります．予防のためには，幼児期から食べる時間と適量を身につける必要があります．

睡眠中は，唾液の分泌が極端に低下するため洗浄作用が働きにくいので，夕食後はう蝕予防の観点からも甘いものは食べさせないで，歯磨きを丁寧に行います．

参考文献
- 全国歯科衛生士教育協議会（監修），眞木吉信，他（編）：人体の構造と機能 2 栄養と代謝（最新歯科衛生士教本）．医歯薬出版，2010

（太田 百合子）

栄養
1～2歳

Q86
経口補水液やイオン飲料はいつどのように飲ませたらよいですか？ 糖分は気にしなくてもよいですか？

A
経口補水液やイオン飲料は幼児期までは，下痢や発熱，大量の発汗などの症状があるときに水分や電解質の補給のために使うことが中心で，日常摂取するものではありません．電解質は入っていますが，栄養分としては糖分しかなく，過剰摂取にもつながる危険性があります．

関連質問 Q.87　　**Key word** 経口補水液，ORS，イオン飲料

解説

　経口補水液(oral rehydration solution：ORS)は WHO も推奨しており，基本的には水 1 L に対して砂糖大さじ 2 杯，食塩小さじ 1 杯を溶解したものです．これは輸液よりも容易に水分と電解質を摂取できる(吸収も早い)ことから世界各地で使用されています．

　基本的にはこれと同じ原理ですが，より飲みやすくしたものが経口補水液(わが国では大塚製薬の OS-1® で液とゼリーがあります)であり，それに類似したものとしての飲料(和光堂のアクアライト® など各種)もあります．前者は，発熱や下痢，嘔吐，暑さによる大量の発汗などの状況で使用するものであり，日常的に飲用するものではありません．後者は，入浴後にという宣伝もありますが，水分が必要であれば健康な状態ならば水でも麦茶でも構いません．

　イオン飲料は基本的に成人を対象として販売されているものであり，ORS よりも糖分が多く，電解質は少なくなっています．ですから，過剰摂取によって糖分の摂り過ぎも起こります．たとえば代表的なポカリスエットでは 500 mL のペットボトル 1 本で 30 g の糖を摂取することになります(スティックシュガー 10 本強の量です)．

　また摂取後に口腔内の pH が低下することから，習慣的に摂取することはう蝕のリスクも増やします．成人は手軽にイオン飲料を口にしますが，成人であっても糖分の過剰による体重増加や栄養の偏りが起こりうることを保護者にも説明しています．

（平岩 幹男）

栄養
1〜2歳

Q.87 ビタミン剤や保健機能食品，サプリメントは乳幼児に使用してもよいですか？

A ビタミン剤は小児を対象とした製剤もありますが，普通に食事摂取ができていれば必要はありません．また，保健機能食品は小児を対象としたものはありませんし，サプリメントは小児には基本的に勧めていません．安全性の問題もありますし，まずは食事を食べることが基本です．

関連質問 Q.86, 107　　**Key word** ビタミン剤，保健機能食品，サプリメント，原産地表示

解説

　ビタミン剤は特にビタミンの不足がなくても，何となく日常的に口にしている成人は多いのですが，小児用の製剤もでています．ビタミンB群が中心の製剤ですが，偏食や咀嚼機能の問題で，野菜が食べられない，肉が食べられないなどの場合には補完的に使用することも考えます．製剤に含まれている量であれば中毒量になることは考えにくいので，使いたいという保護者には特に制限はしていません．しかし，「食事で摂取したほうが，楽しいしおいしいですよ」という言葉は添えています．

　保健機能食品は，機能性表示食品，栄養機能食品，特定保健用食品に分けられますが，成人を対象としてさまざまなものがでてきています．前2者は高齢者などの栄養バランスの偏りの補正に，後者はメタボリックシンドロームの症状などへの対策として使用されています．しかしこれらの保健機能の確認は成人を対象として行われており，小児を対象として行われているものはありません．ですから，これらを子どもが摂取したときの効果はわかりませんし，成人で期待できる効果が得られるという保証もありません．また，子どもが摂取した場合には下痢をはじめとした副作用が懸念されるものもあり，子どもの摂取は勧められません．

　サプリメントは多種多様であり，成人は嗜好品として，あるいは栄養補助として摂取していますが，成分が不明なものも多く，原産地表示も不明確（加工した場合には加工した国だけが表示されていることが多い）なので，子どもが摂取しても安全であるという保証はしにくいものが多いと考えられます．また天然由来の成分とうたっているものも多いですが，天然由来は摂取して安全であることは意味しません．特に何らかのアレルギー症状がある場合，サプリメントには成分表示が不明確なものもあり（特に輸入品の場合），基本的には摂取しないでくださいとお話ししています．

〔平岩　幹男〕

アレルギー
1〜2歳

Q.88 卵やとろろ芋を食べたら口の周りが赤くなりました．食物アレルギーでしょうか？受診が必要ですか？

A 食べた量にもよりますが，普通に1人前の量を食べて口の周りが赤くなっただけなら，食物アレルギーである可能性は低いと思われます．口の周囲にワセリンを塗って皮膚を保護して食べたときには何ともないのであれば食物アレルギーではありません．ただし，唇や顔の肌荒れがある場合は，アレルギーがでやすくなりますし，将来食物アレルギーになる危険性が高くなりますので，注意が必要です．

関連質問 Q.48

Key word 仮性アレルゲン，食物過敏反応

解説

卵は比較的消化によって抗原たんぱく質が変性されやすい食物ですが，口腔粘膜や皮膚から吸収された卵の抗原は，まだ消化される前のたんぱく質の構造を保っており抗原性が強いため，口の周囲の皮膚が反応して赤くなることがあります．この場合は，厳密には食物アレルギーなのですが，多いのは荒れた皮膚についた卵が刺激となって赤くなるケースです．白色ワセリンで口の周囲の皮膚を保護して食べた場合には何ともないのであれば食物アレルギーではありません．

とろろ芋（山芋）には，シュウ酸ナトリウムやアセチルコリンというかゆみを引き起こす物質が含まれていますので，食物アレルギーがない人でも，肌に触れると赤くなったりかゆくなったりすることがあります．いかにもアレルギーのような反応を引き起こすので，これらの物質は仮性アレルゲンとよばれることもあります．野菜や果物には仮性アレルゲンを多く含むものもありますし，人によって仮性アレルゲンの分解能力が異なりますので，症状のでやすい人とでにくい人がいます．いずれにしても，食物に含まれるアレルゲンに対する免疫反応で起こる食物アレルギーではなく，一種の食物過敏反応ということになります．

しかし，もし肌荒れがある場合に，繰り返し皮膚に食物が付着すると，皮膚からその食物に含まれるアレルゲンが吸収されて本当の食物アレルギーになってしまう危険性があります．肌荒れや湿疹を速やかに治療することと，食物が皮膚に付着しないように食べること，万が一，ついた場合は速やかに水で洗い落とすことが大切です．

（大矢 幸弘）

アレルギー
1〜2歳

Q.89 米を除去するときの注意点と工夫は，何ですか？

A 米のアレルギーはまれです．日本ではエネルギー源として主食に米飯を食べます．主食の米飯を中心に主菜，副菜を組み合わせることで食事のバランスがとりやすいため，除去する場合は，食事全体のバランスや子どもの食習慣の形成にも充分な配慮が必要です．

関連質問 Q 92

Key word 米，除去食，栄養

解説

米のアレルギーは非常にまれで，食べて即時型の強い症状を起こすことはあまりありません．米の除去が必要な場合には，食生活の質が極端に低下します．小麦が食べられる場合には，パンや麺類など，小麦製品を主食にすることができます．小麦がとれない場合は，低アレルゲン化された米や，米・小麦以外の穀物，イモ類などからのエネルギー摂取の検討が必要になります（表）．このため，米の摂取によって症状が疑われる子どもに対しては，十分なエネルギー摂取ができるよう，専門の医療機関で専門医や管理栄養士から摂取可能な範囲やエネルギー摂取必要量など総合的評価に基づく個別指導が必要です．生活の負担が大きくならないよう，専門医とよく相談しながら進めましょう．

表 米飯 100 g（= 156 kcal）と同じエネルギーの食品

茹でうどん（小麦）	164 g	コーンフレーク	41 g
食パン（小麦）	63 g	コーンミール（トウモロコシ粉）	42 g
薄力粉（小麦）	45 g	蕎麦粉	46 g
ジャガイモ・蒸し	205 g	もろこし（ソルガム）・精白粒	45 g
サツマイモ・蒸し	119 g	えんばく・オートミール	45 g

（文部科学省：日本食品標準成分表 2020（八訂）．2020 より作成）

参考文献
- 厚生労働科学研究班（研究代表者 海老澤元宏）：食物アレルギーの栄養食事指導の手引き 2017．2017
- 環境再生保全機構：ぜん息予防のためのよくわかる食物アレルギー対応ガイドブック 2021 改訂版．2021

（長谷川 実穂）

アレルギー
1～2歳

Q90 鶏卵を除去するときの注意点と工夫は，何ですか？

A 鶏卵と，鶏卵を含む食品を除去します．鶏卵はたんぱく質を構成するアミノ酸バランスがよい食品ですが，肉，魚，大豆製品，乳製品などの他のたんぱく質を組み合わせてとることで栄養面の問題はありません．

関連質問 Q 81　　Key word　鶏卵，除去食，栄養

解説

　容器包装されている加工食品には，鶏卵の原材料表示が義務化されています．クッキーやケーキなどの洋菓子類，ハムやベーコン，魚介練り製品などの加工食品に含まれることが多いですが，市販されている加工食品には，鶏卵を含まない製品も多くあります．原材料表示を確認して，入っていなければ利用することができます．

　鶏卵アレルギーの主な原因になるのは，卵白に含まれるオボアルブミンというたんぱく質です．卵黄は早い段階で食べられるようになることが多く，厚生労働省「授乳・離乳の支援ガイド（2019年改定版）」にはこれまで離乳中期に試すものに位置づけられていた固ゆで卵黄が離乳初期に変更になりました．卵白のたんぱく質は，加熱によってアレルギーを起こす力が大きく低下します．このため，十分に加熱した鶏卵が食べられる場合でも，半熟卵や生卵，マヨネーズやアイスクリームといった鶏卵自体に加熱が十分されていない加工食品など，調理法によっては症状がでる可能性があるため，注意します．卵殻カルシウムは鶏卵の抗原性はほとんどなく，少量しか使われない加工食品は基本的に食べられます．鶏肉，魚卵は基本的に除去する必要はありません．

　鶏卵はさまざまな料理に利用されますが，多くは鶏卵を使用しないでも調理することができます．ハンバーグなどの肉料理のつなぎには，すりおろしたジャガイモや，片栗粉などのでんぷんを利用します．ケーキや蒸しパンなどをふんわりさせるときには，ベーキングパウダーや重曹を使います．原材料に鶏卵を使用しないケーキミックスなどを利用すると，家庭でも手軽に洋菓子類を楽しむことができます．

参考文献
- 厚生労働科学研究班（研究代表者 海老澤元宏）：食物アレルギーの栄養食事指導の手引き 2017．2017
- 環境再生保全機構：ぜん息予防のためのよくわかる食物アレルギー対応ガイドブック 2021 改訂版．2021

（長谷川　実穂）

1～2歳（幼児前期）

アレルギー 1〜2歳

Q91 牛乳を除去するときの注意点と工夫は，何ですか？

A 牛乳，ヨーグルト，チーズなどの乳製品と，乳製品を含む食品を除去します．牛乳を除去する場合には，カルシウムの摂取が不足しないよう注意が必要です．たんぱく質は，肉，魚，大豆製品，鶏卵などからとることができます．

関連質問 Q.38, 39, 161　　Key word　牛乳，除去食，栄養

解説

　カルシウムは，アレルギー用ミルク（牛乳アレルゲン除去調製粉乳）や，大豆製品，小魚，青菜などのカルシウムが豊富に含まれる食材で積極的に補います（Q39参照）．牛乳と同程度のカルシウムが含まれる調整豆乳や植物性のミルクなど，カルシウムに配慮された加工食品を利用すると，十分な量の摂取がしやすくなります．

　アレルギー用ミルクを利用する場合は，商品によってたんぱく質の分解度が異なるため，その子に合うものを使用します（Q25表参照）．ペプチドミルクは，牛乳のたんぱく質を部分的に分解してあるミルクですが，ミルクアレルゲン除去食品として認可されているアレルギー患児用のミルクではありません．

　容器包装されている加工食品には，乳の原材料への表示が義務化されています．乳の代替表記（代わりの表記）は複雑なので，表示をよく確認して利用できるものを選びます（Q38，Q161参照）．

　牛乳アレルギーの主な原因になるのは，カゼインというたんぱく質です．カゼインは加熱や加工による抗原性の変化はあまりなく，摂取できる牛乳の量がわかると，含まれる乳たんぱく質の量から，他の乳製品がどの程度摂れそうかを推測することができます．

　調理では，牛乳の代わりにアレルギー用ミルクや豆乳，近年種類が増えてきているアーモンドやオーツ・ココナッツなどの植物性ミルクを利用することができます．植物性のミルクはスーパーなどでも手に入りやすくなってきています．低年齢のうちから牛乳を飲み慣れていないと，牛乳が飲めるようになっても飲み慣れず取り入れられないお子さんも多く，牛乳に似た代替食品を除去中に積極的に取り入れておくことも食習慣を広げることに役立ちます．

参考文献

- 厚生労働科学研究班（研究代表者 海老澤元宏）：食物アレルギーの栄養食事指導の手引き 2017．2017
- 環境再生保全機構：ぜん息予防のためのよくわかる食物アレルギー対応ガイドブック 2021 改訂版．2021

（長谷川 実穂）

アレルギー
1〜2歳

Q92 小麦を除去するときの注意点と工夫は，何ですか？

A 小麦粉（薄力粉，中力粉，強力粉，デュラムセモリナ粉）と，うどんやパンなどの小麦製品，小麦を含む食品を除去します．小麦がとれなくても，米飯を中心にエネルギーの摂取ができれば，栄養面での問題はあまりありません．醤油は基本的にとることができます．

関連質問 **Q54**

🔍 **Key word**　小麦，除去食，栄養

解説

　一般的な醤油は原材料名に小麦の表示がありますが，アレルギーの原因になるたんぱく質が製造過程で分解されているため，基本的に醤油を除去する必要はありません．穀物酢も多くの場合，とることができます．アレルギーの原因になる小麦のたんぱく質グルテンは，加熱してもあまり抗原性の変化が起こりません．このため，食品に含まれる小麦たんぱく質の量から，ある程度，小麦製品の抗原性（アレルギーを起こす力）を推測することができます．

　小麦を除去する場合には，市販のパンや麺類が利用できず，主食のメニューが限られます．米粉や雑穀（ホワイトソルガム，あわ，きび，ひえ）の粉でつくられたパンや麺類などを利用して工夫します．米からつくられたビーフンやフォーなどの麺類は，スーパーなどでも売られています．市販されている米粉パンはありますが，食感をよくするために小麦のグルテンが含まれていることが多いため，原材料の確認が必要です．米粉や雑穀粉を利用して，パンケーキやお好み焼きなどもつくることができます．米粉は小麦粉に比べて商品ごとに水を吸う量が大きく変わるので，調理の際は水加減に注意します．

　家庭内で家族の食事に小麦粉を使用する場合には，粉の特性上，飛散しやすいため，他の食品に比べて混入への配慮が重要です．

　大麦やライ麦など他の麦類は通常小麦と区別しますが，たんぱく質の構造が似ていることが原因で（交差抗原性），大麦やライ麦にも症状がでる場合があります．特に小麦による症状が重篤な場合は，避ける必要があるかを専門の医療機関などで確認するとよいでしょう．大麦からつくられる麦茶は，溶けだす量も微量で，ほとんどの人が飲むことができます．

📖 参考文献
- 厚生労働科学研究班（研究代表者 海老澤元宏）：食物アレルギーの栄養食事指導の手引き2017．2017
- 環境再生保全機構：ぜん息予防のためのよくわかる食物アレルギー対応ガイドブック2021改訂版．2021

（長谷川 実穂）

アレルギー
1〜2歳

Q.93 食物アレルギー児のおやつに利用しやすいものは，何ですか？

A おやつは，食事量の少ない子どもの捕食として，また食事と少し違う味や食感のものを食べることで，食べる楽しみを育むものでもあります．子どもが好む菓子類には主要な抗原が含まれるものが多くありますが，原材料に原因食物を含まないものを上手に選んでおやつを楽しみましょう．

関連質問 Q.51, 89 　Key word　おやつ，QOL，栄養

解説

　食べることを自発的にしたり，手づかみ食べをしやすかったりするおやつは，食べる意欲や楽しみを育むためにも大切です．市販の菓子類を利用する場合は，原因食物が入っていないかを確認します．塩せんべい，野菜チップス，ラムネ菓子，ゼリー，グミなどは，もともと主要な原因食物を含んでいないことが多く，食べられるものを探しやすい食品です．通常は卵や牛乳などの主要な原因食物が使われることが多いビスケットやクッキーなどの洋菓子類も，最近は商品によって使用していないものがいろいろと作られています．きょうだいや他の子どもと一緒に食べやすいものをみつけて，一緒に食べることも楽しめるとよいでしょう．ただし，子どもが「何でも食べられる」と誤解してしまわないよう，例えば，卵や牛乳が入っていないクッキーなど通常は原因食物が入っている食品をあげるときには，発達段階に応じて，それがその子が食べられるように配慮されているものだということも伝えてあげるとよいでしょう．

　パンケーキや蒸しパンなどは，市販のものが利用できない場合は，ホットケーキミックスなどを使うと家庭でも比較的簡単につくることができます．小麦にアレルギーがあるとおやつの選択肢を広げにくいですが，米粉や雑穀粉を使っておやきやクレープをつくったり，米粉や雑穀粉のパンケーキミックスを利用したりすると，幅を広げやすくなります．

　「おやつ＝お菓子」ということにとらわれず，干し芋や果物，おにぎりなどで，食事でとりきれないエネルギーや栄養素を補うことも，おやつの役割の1つです．ただ，食事をおろそかにして，よく食べる甘いお菓子やジュースばかりをあげることは，アレルギーの有無にかかわらず，注意が必要です．

（長谷川 実穂）

アレルギー
1〜2歳

Q.94 食物アレルギー児がいる家族の食事，お弁当ではどのような注意をしたらよいですか？

A 心理的に十分配慮しつつ誤食防止を徹底すること，本人を含めた家族全員が除去食の意識をもつこと，家族と同じ料理を「食べたい」と思えるような環境づくりも必要です．

関連質問 Q.95

🔍 **Key word** 心理的配慮，誤食防止，環境づくり

解説

　食物アレルギー児の家庭での食事について，アレルギー児のみが別メニューを食べる方法と，家族全員がアレルゲンを含まない食事をする方法が考えられます．どちらを選ぶかは献立や本人の年齢や重症度，きょうだいの有無，保護者の就労，経済的負担など生活全般の条件によって異なります．

　アレルギー児のみが別メニューを食べる場合，周囲にアレルゲンが存在するために誤食のリスクが常に存在します．例えば，きょうだいの料理の誤配膳，食べ残しの誤食，アレルゲンの付着など，思いがけない場面で症状を認めることもあります．

　重症児では，アレルゲンが触れた箸を舐めたり，調理器具の洗い方が不十分なだけで症状を認める場合もあるため，本人専用の食器が必要になることもあります．また，家族がアレルゲンに触れた後，本人に接触することで症状を認めることもあるため，家族がアレルゲンに対しての意識を高め，アレルゲンに触れた後は必ず手洗いをするなどの対策が必要です．

　家族全員がアレルゲンを含まない食事をする場合，誤食のリスクは減りますが，家庭で卵や小麦をまったく用いない生活が定着してしまうと，その後の除去解除を進める段階で困難を感じる場合があります．本人にそれらを使った料理を「食べたい」という目標が生まれにくく，保護者がアレルゲンを含む食材を扱った経験が乏しいため「卵や小麦を使った料理」をつくれない，という事態に陥ります．

　家庭によっては，あえてアレルゲンを使った料理を食べている様子を本人に見せているようです．家族がおいしそうに食べる様子を見る内に，自分も同じものを「食べたい」という目標ができ，その後の除去解除を進める上での刺激にもなります．

　給食に替わる弁当持参が必要な場合，一般的にはできるだけ給食と同じ料理を持参します．配膳の際に，周りと同じ食器に盛り付ける配慮も必要ですが，誤食防止のために色の違うトレーや食器を用いることもあります．

（松尾　嘉人，伊藤　浩明）

アレルギー
1〜2歳

Q 95
食物アレルギー児の外食では，どのような注意が必要ですか？

A
飲食店や店頭販売にはアレルゲン表示の義務がなく，原材料や調理場でのコンタミネーションにも気をつける必要があります．

関連質問 Q.94

Key word 食品表示法，コンタミネーション，アレルギー対応食

解説

飲食店や店頭販売などは食品表示法で定める表示対象外となるため，店舗で直接確認する必要があります．メニューにアレルギー対応の表示をしている飲食店もありますが，あくまでも任意の対応で，その正確さは店舗と従業員の理解に依存します．

極端な例では，グルテンを含む米粉パンを，小麦不使用として提供した事例や，チーズが含まれるパンを，乳アレルギーに対応したパンとして提供した事例があります[1]．本人や保護者自身が，加工品の原材料まで気を配り，アレルゲンの混入がないかを確認する必要があります．

重症児の場合，調理場におけるコンタミネーションにまで注意を払う必要があります．蕎麦アレルギー患者が，蕎麦を茹でた釜で調理したうどんを摂取してアレルギー症状を呈することはよく知られています．エビアレルギー患者が，寿司職人の手により症状を認めた例や，食器の洗い方が不十分であったためにアレルギー症状が誘発された事例の報告もあります[1]．極微量のアレルゲンの摂取により重症な症状を呈する患者では，外食自体を控えたほうがよいと思われます．

他にも，鯛めしのタレに卵が使われていた例では，店員も知らなかったためそのまま提供され，症状が誘発された報告もあります[1]．焼肉店では，加工肉（つなぎにカゼインが使用される）や下処理，タレの成分などでアレルゲンが混入することにも注意が必要です．

一方，全国のレジャー施設の飲食店や外食チェーン店では，アレルギー児に向けてコンタミネーションにも配慮した特別メニューを用意する所も増えてきました．機内食の対応や，県をあげての食物アレルギー児を迎え入れようとするところもあります[2,3]．「何も心配せずに，だされた料理をすべて食べられる」という体験は，本人はもとより，日頃食事に関する緊張感が欠かせない保護者にとっても何よりの贈り物になるでしょう．

文献
1) 令和3年度消費者庁消費者政策調査費（研究代表 近藤康人）：食物アレルギーひやりはっと事例集2021．2021；39，44，66，67，70，72
2) 尾辻健太（監修），沖縄県文化観光スポーツ部観光振興課（発行）：食物アレルギーゆいまーるブック．沖縄県観光バリアフリーポータルサイト．2019．(https://okibf.jp/pref/manual/) 2022年5月26日閲覧
3) 京都府健康福祉部健康対策課：食物アレルギーの子 京都おこしやす事業．京都府の健康づくり対策（食物アレルギー）．(https://www.pref.kyoto.jp/kenzou/syokumotsuallergie.html) 2022年5月26日閲覧

（松尾 嘉人，伊藤 浩明）

アレルギー 1～2歳

Q96 除去食の解除時期はどのように決めますか？

A 血液検査（抗原特異的 IgE 抗体価）や病歴を参考に，食物経口負荷試験で日常摂取量のアレルゲンが摂取可能であることと，その後自宅でも複数回は症状なく摂取できることを確認する必要があります．

関連質問 Q 159

Key word 食物経口負荷試験，日常摂取量，それぞれのゴール

解説

　食物アレルギー児は加齢とともに耐性を獲得することが知られています．乳児期発症の場合，6歳頃までの耐性化率は鶏卵，牛乳，小麦でそれぞれ約 66％，85％，66％ 程度とされています[1]．このため，食物アレルギー児は定期的に特異的 IgE 抗体価を検査し，その変化に応じて，食物経口負荷試験（oral food challenge test：OFC）で摂取できるアレルゲン量を確認します．

　OFC を行う時期の決定には，年齢や病歴も参考となります．乳幼児期に発症し，自然経過で耐性獲得することが多い鶏卵，牛乳，小麦アレルギーは最終の誘発歴から1年が経過してから OFC の実施を検討することもあります[1]．偶然に摂取（誤食）した際に症状を認めない場合，負荷量の決定に有用な情報となります．

　OFC で年齢相当の日常摂取量を摂取し，陰性の場合は，自宅でも同量の摂取を複数回は確認した後に除去解除について判断します．学校給食における除去解除は，実際に給食で提供される量を目安とします．食後に運動した場合などを含め一定期間症状が誘発されないことを確認できれば，学校でも除去解除とします[1]．

　総負荷量が日常摂取量未満の OFC 結果が陽性の場合，負荷量や誘発症状の重症度などに基づき，除去継続するか，自宅摂取開始可能かを判断します．OFC の結果から，症状を誘発しない範囲の量，または加熱・調理により反応性が低下して摂取できる範囲を見極めて，食事指導を行うこともあります．

　解除を目指した食事指導の最終目標は，本人が，アレルゲンであったものでもその他の食品と同じように日常的に摂取できるようにすることです．しかし，医学的には摂取可能となった後でも，すべての児が好んで摂取するとは限りません．また，日常摂取量が本人の目指すゴールとも言い切れません．除去を継続している時期から，それぞれのゴールに向けた見通しを本人・保護者に伝え，児自身にも年齢に応じた理解と意思表示を促すことを心がけます．

文献

1) 海老澤元宏，他（監修），日本小児アレルギー学会食物アレルギー委員会（作成）：食物アレルギーガイドライン 2021．協和企画，2021；102, 103, 128, 144, 151, 158

（松尾 嘉人，伊藤 浩明）

歯科
1～2歳

Q.97 乳歯が生え揃う前の食べ方で，気をつけることはありますか？

A 離乳が完了しても，1～2歳代の子どもには，大人と同じように食べ物を処理する能力はありません．乳歯が生え揃う3歳頃までは食べにくい食品が多いため，食材の選択や調理の工夫が必要です．また自食を進める際には，食具使用の前に手づかみ食べの練習をすることも大切です．

関連質問 Q.37

🔍 **Key word** 第一乳臼歯，噛みつぶし，手づかみ食べ

解説

乳歯は2歳6か月～3歳頃に生え揃います．離乳が完了期を迎える1歳代前半に最初の奥歯である第一乳臼歯が生えてきて，「前歯で噛みとり，奥歯で噛みつぶす」といった歯を使った咀嚼が徐々にできるようになります．ただ，第一乳臼歯は噛む面が小さく噛む力も弱いので，1～2歳代の子どもでは処理しにくい食品も多くみられます．葉物の野菜や繊維の強い野菜・肉，コンニャク・カマボコ・イカなどの弾力性の強い食品，挽き肉やブロッコリーなどの口の中でまとまりにくい食品などが食べにくいようです．また，ミニトマトや白玉団子，ブドウなどはうまく噛めずにすべって喉のほうに入ると，気管に詰まって窒息を起こすことがあるので注意が必要です（丸ごと与えるのは避けます）．この時期の食材としては，噛みつぶす程度でまとまりやすい卵焼きやおでんの大根，煮込みハンバーグ，コロッケなどが適しているでしょう．また，挽き肉はつなぎを加えて肉団子にしたり，ブロッコリーも茹でてマヨネーズであえるなど，調理で工夫すれば食べやすくなります．第二乳臼歯が生えて乳歯での噛み合わせが完成する3歳頃には，噛む力が増して咀嚼能率も高まるため，大人に近い食事がとれるようになります．

また，1歳を過ぎて自分で食べること（自食）を覚えるときには，まず手づかみ食べから始めることを勧めます．直接手づかみで食べ物を口に運ぶ動作により，手と口の協調を覚えることで，食具（スプーンやフォーク）の使用もスムーズになります．手づかみ食べは，自分で食べる意欲を育てる面でも重要です．さらに，少し大きめの食べ物を手づかみにして前歯で噛みとる練習をすることも，自分に合った一口量を覚えるうえで大切です．一口量の調整がうまくできていないと，年齢が上がっても口いっぱい頬張って，よく噛まずに飲み込むような食べ方になりやすいので気をつけます．

参考文献
- 日本小児歯科学会（小児科と小児歯科の保健検討委員会）：歯からみた幼児食の進め方．(https://www.jspd.or.jp/common/pdf/06_03.pdf) 2022年10月4日閲覧
- 厚生労働省：授乳・離乳の支援ガイド（2019年改定版）．2019

（井上 美津子）

歯 科
1～2歳

Q98 噛み合わせや歯並びは，何歳頃から注意すればよいですか？

A 乳歯が生え揃う3歳頃までは，噛み合わせや歯並びは変化します．一番奥の乳歯（第二乳臼歯）が生えて噛み合うまでは様子をみましょう．3歳を過ぎても心配でしたら，小児歯科か矯正歯科を専門としている歯科医院で一度相談してみるとよいでしょう．

関連質問 Q.65, 66

Key word 歯並び，噛み合わせ，指しゃぶり

解説

　乳歯が生えてきても，前歯だけのうちは，さまざまな歯並びや噛み方がみられます．生えたばかりの乳歯は，捻れていたりデコボコだったりすることがありますが，歯を支える骨（歯槽骨）も成長中なので様子をみてよいでしょう．また，下顎を突き出したり上下の前歯で歯ぎしりをしたりという行動もみられやすいのですが，まだ下顎の動きが自由なため，上下の前歯の噛み具合を確認しているものと考えられるので心配はいりません．

　1歳を過ぎて最初の奥歯（第一乳臼歯）が生えて噛み合うと，やっと上下の歯の噛み合わせができてきますが，まだ安定したものではありません．この時期に，噛み合わせが逆だったり，噛み合わせが深くて下の前歯がみえないような子どもでも，2歳を過ぎて第二乳臼歯が生え始め，乳歯での噛み合わせが完成する3歳頃になると，噛み合わせの問題が自然に解消する場合も少なくありません．1～2歳頃の噛み合わせや歯並びの問題は，しばらくは経過をみてよいでしょう．

　3歳を過ぎても，前歯の噛み合わせが逆だったり（反対咬合），奥歯の噛み合わせがずれていたり（臼歯部交叉咬合），前歯の噛み合わせが極度に深かったり（過蓋咬合），奥歯で噛んでも上下の前歯に隙間ができたり（開咬），前歯の歯並びがデコボコだったり（叢生）と，さまざまな噛み合わせや歯並びの問題がみられることがあります．その後の顎の成長への影響や，子どもの理解・協力状態などをみて，乳歯のうちに治療をして改善を図っておいたほうがよいケースもありますので，心配な場合は小児歯科か矯正歯科の専門の歯科医院の受診を勧めます．

　また，3歳以降も指しゃぶりが続くと，上の前歯の突出や開咬，上顎の歯列の狭窄などが生じやすくなり，2歳半以降もおしゃぶりを常用していると開咬が生じやすくなります．指しゃぶりやおしゃぶりについては，1～2歳代から適切な対応をして頻度を減らしていき，乳歯が生え揃う頃にはやめられるようにしていけるとよいでしょう．

参考文献
- 日本小児歯科学会（編）：親と子の健やかな育ちに寄り添う　乳幼児の口と歯の健診ガイド　第3版．医歯薬出版，2019
- 白川哲夫，他（編）：小児歯科学　第5版．医歯薬出版，2017

（井上　美津子）

歯科
1～2歳

Q 99 歯磨きを嫌がらずにさせるには，どうすればよいですか？

A 子どもが歯磨きを嫌がる原因はさまざまです．歯ブラシで磨かれること自体が嫌な場合もあれば，抑えられるのが嫌だったり，自分で磨きたいのにやらせてもらえないのが嫌な場合などもあるでしょう．子どもの様子から理由を考えて，対応を工夫しましょう．

関連質問 Q 67　　🔍 **Key word** 歯磨き，仕上げ磨き

解説

　幼児期の子どもが歯磨きを嫌がる原因はさまざまです．「歯科健診で歯磨きを指導されたが，嫌がって磨かせてくれない」などの場合は，子どもの側に歯ブラシで磨かれることへの受け入れができていないことが考えられます．歯ブラシで磨かれることに慣れるためには，乳歯が生え始める頃からのアプローチが大切です（Q 67参照）．しかし，一旦拒否反応を示すようになった子どもには，ガーゼ磨きやうがいの練習をしながら口をきれいにする感じを覚えさせたり，家族が楽しく磨くところを見せたりして，徐々に歯ブラシの感触に慣らしていくことと，自分で磨こうとする気持ちを育てていくことが大切です．

　また，仕上げ磨きのときにしっかり磨こうと手に力が入り過ぎると，ついゴシゴシ磨いてしまい，子どもが痛みを感じやすくなります．肩の力を抜き，軽い力で細かく歯ブラシを動かして磨き，唇や頬，上唇小帯（上唇の裏側のスジ）などを指で優しくよけて磨くことが勧められます．

　「仰向けに寝たり，抑えられるのが嫌」「自分で磨きたい」などの理由で歯磨きを嫌がる子どもも少なくありません．1歳代後半から2歳代は「いやいや期」の始まりともいわれていて，いろいろなことに「いや」と拒否反応を示しがちです．これも子どもの発達の一過程として，おおらかに対応することが大切です．まずは子どもを座らせて安全な状態で磨かせてから，「よく磨けたね」と褒めてあげ，その後に優しく言い聞かせながら仕上げ磨きをしてあげましょう．仕上げ磨きの体勢も，無理に寝かせるのではなく，手足のマッサージなどをしながら膝の上で顔のマッサージをして，リラックスしたところで歯磨きに移ると嫌がらないことが多いと思います．

　寝る前にぐずりやすい子どもの仕上げ磨きは，夕食後の手の空いた時間帯に磨いてあげ，その後は水や麦茶だけ与えるようにするといいでしょう．

📖 参考文献
・向井美惠，他：ママ＆パパの疑問にこたえる　乳幼児の摂食支援．医歯薬出版，2022；118-119

（井上　美津子）

歯科
1～2歳

Q 100
食べ物を丸飲みしてしまいます．よく噛むためにはどうすればよいですか？

A
1～2歳は，歯を使った咀嚼がまだ十分には獲得されていないため，よく噛んでいない子どもも多くみられます．軟らかい食事や細かく刻んだ食べ物では噛まずにそのまま飲み込みやすいため，少し大きめの食べ物を前歯で噛みとり，奥歯で噛みつぶすことを覚えていきましょう．

関連質問 Q 82　　　　**Key word**　丸飲み，前歯での噛みとり，口唇閉鎖

解説

　軟らかい食品や細かく刻んだ食べ物は，舌でつぶしたりまとめて飲み込めばよいので，噛む必要がありません．しかし，噛みごたえのある食品は，奥歯でのすりつぶしができないうちはうまく噛めません．まだ最初の奥歯が生えただけの1～2歳の子どもには，煮野菜や肉団子，煮込みハンバーグなど噛みつぶす程度で処理しやすい食べ物を選んで，少し大きめにして前歯で噛みとらせ，そのまま飲み込めないと思ったら奥歯で噛んで小さくして唾液と混ぜ合わせ，飲み込みやすい形にするという練習をしていくことが，噛むこと（咀嚼）を促すためには重要です．また，食べ方でも，口いっぱい頬張るような食べ方では，うまく噛めないので丸飲みしやすくなります．一口サイズの食べ物を口の奥のほうに取り込む食べ方でも，そのまま飲み込んでしまいやすいです．口唇や前歯を使って食べ物を取り込み，舌を使って食べ物の大きさや固さを感知することで，食べ物の処理方法が選択されます．奥歯を使って噛む力を育てるためには，手づかみ食べで大きめの食べ物を前歯で噛みとることや，よく噛むことができる一口量を覚えていくことも大切です．

　また口呼吸の子どもは，口を閉じてよく噛んでいると苦しくなってしまうので，丸飲み傾向がみられます．鼻呼吸ができるかどうか確かめて，口を使った遊びなどで口唇閉鎖や鼻呼吸を促し，口を閉じて噛むことができるようにしていきます．

　年齢が少し上がると，家族が早食いだったり，急かされて食べている子どもに丸飲みがみられやすくなります．早食い・丸飲みの子どもは，食事のときに水分（水やお茶，牛乳など）を欲しがることが多いのですが，これはよく噛まないと唾液があまりでないため食べ物が飲み込みにくいので，水分で流し込んでいるからです．食事中には水分を置かないようにして，ゆっくり食べられるよう食環境を調整しましょう．

参考文献
・田中英一，他：お母さんの疑問にこたえる 子どもの食の育て方．医歯薬出版，2011
・巷野悟郎，他（監修）：心・栄養・食べ方を育む 乳幼児の食行動と食支援．医歯薬出版，2008

（井上 美津子）

歯 科
1〜2歳

Q.101 食べ物を口に入れたまま，いつまでも飲み込みません．どうすればよいですか？

A 1〜2歳の子どもでは，うまく処理できない食べ物を口の中にためて飲み込まないことが多いようです．乳歯の生え方や噛んでいる様子などをみて，徐々に歯での咀嚼を覚えてもらいましょう．また，食欲がないと，ためる食べ方になりやすいので，生活リズムや食環境の見直しも必要かもしれません．

関連質問 Q.78, 79　　**Key word** ためる（貯留），食欲

　解説

　1歳を過ぎても，奥歯がまだ生えていなかったり，第一乳臼歯が生えたばかりだと，うまく噛めない食品が多くみられます．また第二乳臼歯が噛み合う2歳半過ぎまでは，生野菜や繊維のある肉・野菜，弾力性の高い食品などはまだ噛みにくいようです．子どもは通常，うまく処理できない食べ物は噛んだだけで口から出してしまいますが，食欲のまさった子どもはそのまま丸飲みしてしまったり，口から出すと叱られたりすると口の中にためてしまいます．歯の生え方や噛んでいる様子などをみて，食べ物の形態を選ぶようにします．最初は歯茎（歯ぐき）で噛みつぶせるくらいの固さの食べ物から，徐々に固さや大きさを上げていき，奥歯を使った咀嚼を覚えてもらいます．食べやすいようにと食べ物を細かく刻んでしまうと，口の中でばらけてしまって，かえって飲み込みにくくなることがあります．また，肉や魚をパサパサになるまで噛んでためている子どももみられますが，噛みながら唾液をうまく混ぜ合わせることができないと，飲み込みにくいので水分だけ吸って繊維が残ってしまうものと思われます．一口量を少なめにしたり，とろみを加えて飲み込みやすくしてあげるとよいでしょう．

　奥歯が生え揃っても食べ物を口にためて飲み込まない子どもは，食欲がないことも考えられます．間食やジュース，牛乳などで，お腹が空いていないのかもしれません．間食の量を控えたり，ジュースや牛乳などを食前には与えないようにして，お腹を空かせて食事の時間を迎えられるようにします．また，寝る時間や食事時間が不規則だったり，身体を動かす遊びが少ないと，食欲もわきません．日々の生活リズムの調整も必要です．

　少食の子どもに食事量を強要すると，ためて飲み込まない行動につながることがあります．一緒に食べて親子でおいしさを共感しながら，まずは食べきれるくらいの食事量にして，食べられたら「もう少し食べてみる？」などのアプローチで，子どもの食べる意欲を育てることが重要でしょう．

参考文献
・日本小児歯科学会（編）：親と子の健やかな育ちに寄り添う　乳幼児の口と歯の健診ガイド　第3版．医歯薬出版，2019

（井上　美津子）

歯科
1〜2歳

Q102 吸い食べが治りません．どうすればよいですか？

A 吸い食べは子どもの年齢でも意味合いが異なります．1〜2歳児の吸い食べは，哺乳時の口の動きが残っているものと思われます．食事の後半や眠くなるとみられやすく，またうまく噛めない食べ物を吸い食べする場合もあります．状況に応じて，対処していきましょう．

関連質問 Q 97, 101　　**Key word** 吸い食べ，吸啜様の動き，食欲

解説

「吸い食べ」は「チュチュ食べ」ともいわれて，舌と上顎に食べ物を挟んで吸啜様の動きをする食べ方で，保護者が心配する食べ方の1つです．子どもの年齢や，どんなときにみられるかで，意味合いが異なる可能性があります．

1〜2歳では，すでに卒乳はしていても，まだお乳を吸うこと（吸啜）に向いている気持ちが強い子どもでは，食事のときに吸い食べがみられるものと考えられます．とくに食事の後半にみられる場合は，もうお腹が満たされて眠くなったサインのこともあります．適当なところで食事を切り上げる必要があるでしょう．また，うまく噛めない食べ物を吸い食べすることもあります．このような場合は，食材や調理を工夫して食べやすい食形態にしてあげたり，少し大きめの食材を前歯で噛みとらせて，奥歯で噛むことを促していくといいでしょう．

年齢が上がってもみられる吸い食べは，指しゃぶりと同じように吸う感覚を楽しむ要素が大きい可能性があります．吸啜による感覚刺激は，精神的な安定をもたらすものです．食事の終わりごろに吸い食べがみられたり，吸い食べをしながらうっとりしているような場合には，習癖化しているかもしれません．「もうお腹いっぱい？」と声かけをして食事を切り上げたり，また食べ始めたときには「よく噛むとおいしいよ」と噛むことを少しずつ意識づけていくとよいでしょう．指しゃぶりと同様，子どもにとっては吸う感覚を楽しんでいる行為なので，一気にやめさせることは難しく，様子をみながら対応していきましょう．また，食欲がなく好きなものを食べてしまった後，吸い食べになる子どもには，食事のときにお腹が空くように生活リズムを調整してあげましょう．

参考文献

- 向井美惠（編著），綾野理加，他（著）：乳幼児の摂食指導 お母さんの疑問にこたえる．医歯薬出版，2000；128-129
- 井上美津子，他（著）：食べる機能・口腔機能の発達 Q&A．医学情報社，2020；25

（井上 美津子）

歯科
1〜2歳

Q 103
転倒してぶつけてしまい前歯の色が変わっていますが、治りますか？

打撲すると歯の色が黒っぽくなったりするのは、歯の中で内出血が起こることが原因とされています。受傷から8か月以内には自然に色が戻ることが多いともいわれます[1]。外傷後は歯の変色よりも重大な異常が現れることもあるので、受傷後最低1年間は歯科医院で経過観察を受けてください。

関連質問 Q.124, 125, 168　　**Key word**　外傷、歯の変色、歯髄の異常

解説

歯に外力が加わると、歯の中の血管が破綻して内出血を起こすことがあります。この出血が歯の変色の原因になることが知られており、灰色、黒褐色、ピンク色などになります。他方で、子どもの歯の外傷後の色の異常は、自然に戻ることもありますが、乳歯は受傷後7〜8か月までに戻ることが知られています。色が問題視される場合は、歯の色を明るくするための治療を行うことがあります。その他、歯の内部にある歯髄という組織が循環障害になり壊死を起こした際や、歯髄の中に石灰化物が形成された場合にも、変色が起こります。子どもの場合は成人よりも壊死が起こりにくいため、変色した歯のうち、壊死は60%にのみみられますが[2]、観察を続ける必要はあります。また、受傷した歯は、感染にも弱いので、歯髄を壊死させないためにも、歯科医療者による消毒や保護者によるホームケアが重要です。数日は消毒を続け、口の中を清潔に保つためのケア方法を保護者に適切に伝える必要があります。そして、歯にぐらつき（動揺）がある場合は、固定による安静化を受けることを勧めます。特に乳歯の場合は、歯髄の壊死を放置すると、後継の永久歯にまで炎症や感染による害を与える危険性があるからです。このような場合、外傷を受けた乳歯の奥で、永久歯は未完成な歯胚という形成途上の状態にあり、外力や感染により着色したりへこみができたりし、放置すると感染により保存できなくなることや、位置がずれることが起こりかねません。

外傷後は、このほかにも異常所見が1年後にかけて生じる危険性があるので[2]、歯をぶつけただけと思っても、受傷後2〜3か月ごとに定期的に診査を受け、異常の有無を確かめることを勧めます。異常は早く発見すれば治療が可能であるものが多いからです。幼い子どもの口腔外傷は2度、3度と繰り返されることが多いので、怪我をした子どもの生活習慣や生活環境にも目を向けて、再度の外傷を受けないよう工夫をするのが周囲の大人の役割だと思います。

文献
1) 松村木綿子：外傷による陥入乳歯の再萌出と長期的臨床経過．歯臨研 2005；2：75-89
2) 宮新美智世，他：外傷を受けた乳歯に関する臨床的研究 第4報 長期的臨床経過について．小児歯誌 2001；39：1078-1087

（宮新　美智世）

歯科
1〜2歳

Q.104
歯ぐきが腫れて出血していますが，歯肉炎でしょうか？

A
出血のある歯肉は，歯肉炎としては進行しています．その他にも，歯肉から出血する複数の疾患がありますので，正確な診断をまず受けましょう．もし歯肉炎ならば，原因となっている歯垢を除去するために歯科医院でお口の清掃法や食生活アドバイスを正確に指導してもらうことと，それが継続できているか管理してもらうことが必要でしょう．

関連質問 Q.172   **Key word** 歯肉出血，歯肉炎

解説

幼児の歯肉が出血するのは，歯垢がたまって歯肉炎が悪化した場合にみられます．これ以外にも，生える途中の乳歯の周りの歯肉から出血したり（萌出性歯肉炎），異物（プラスチック，ストロー，魚の骨）が刺さっている場合などがあります．また，う蝕が原因で歯肉に異常があり，その周辺から出血が起こることもあります．体調が悪いとき（風邪や睡眠不足，加療を要する各種疾患など）はウイルス感染を合併して歯肉口内炎が生じ，出血がみられるとともに疼痛を伴い食欲が落ちる場合もあります．子どもの食欲は，落ちることそのものが体力低下と脱水発症に直結するので，早期の受診が必要です．ときに血液疾患（血友病，白血病，悪性リンパ腫など）に伴う場合もあるので，速やかに歯科あるいは小児科の受診を勧めます．

もし，歯肉炎や口内炎ならば，原因となっている歯垢を除去するために歯科医院で口の清掃法を正確に指導してもらうことと，古い汚れを除去して消毒してもらい，歯肉炎や口内炎を改善させます．ホームケアで大切なのは，甘い菓子や飲料を減らすことで，野菜や果物，海藻などの食物繊維をしっかり摂取して歯垢を減らすことです．そしてビタミン，ミネラルを摂取することが大切で，好き嫌いのせいでビタミンC不足になることは珍しくなく，壊血病性歯肉炎の出血をもたらします．さらに，治癒力は体力に依存しますから，睡眠不足（特に夜更かし）や夏ばても早く解消するようにします．最後に，口の粘膜や歯肉には乾燥が大敵なので，口唇が常に開いていたり口唇が乾燥したりする場合は口呼吸を疑います．口呼吸は歯肉を腫大させ出血を招きます．口呼吸があるならなるべく鼻で呼吸できるよう，鼻をすっきりさせることも大切ですから，鼻疾の検査と治療を受けましょう．鼻がすっきりしているなら，口を閉じるよう指導または歯並びを治して口を閉じることを可能にします．乾燥が続く場合は湿潤薬や含嗽薬で潤いを補うこともあります．これらの異常が解消した後も，よい状態が継続できているか管理してもらうよう「かかりつけ歯科医」をもつことが，再発予防上，またう蝕など歯科疾患のすべての発症を抑えるためにとても有効なことです．

（宮新 美智世）

歯 科
1〜2歳

Q 105
奥歯の溝が黒くなっていますが，むし歯ですか？

A
奥歯にある溝はさまざまな深さがあって，これが黒くみえるのは，溝の中に黒い色素があることを示しています．むし歯が黒くみえていることもあり，単に黒色の食物が溝に引っかかっている場合もあります．歯科医に正確に診断してもらいましょう．

関連質問 Q 121, 138

🔍 **Key word** 臼歯，色が黒い，う蝕

解説

歯にある溝（裂溝）は皺状で，ときに深い場合があり，これが黒くみえるのは溝の中に黒い色素がある場合です．う蝕（むし歯）に伴い歯が崩壊した部分には，細菌が産生した黒い色素や，食物や飲料に含まれる色素が侵入すると考えられています．したがって，う蝕とは黒いものであるとイメージが広く知られているのであろうと思います．う蝕との診断をされたら，う蝕部分を除去して，充填を受けるなど，しかるべきう蝕治療を受けるのがよいでしょう．しかし，う蝕がなくても，深い裂溝であれば中に入った色素がとどまり続けていることもあります．さらに，歯が形成されるときの不具合による形成不全の場合は，溝（裂溝）周辺にも粗造で小孔があることがあり，このような場合は，もともと茶色や褐色を呈していたり，色素が沈着しやすくなっています．

これらは，現時点ではう蝕がなくても，常に汚染状態が続くことを考えると，放置しないでう蝕の危険信号ととらえるのがよいでしょう．したがって，このまま汚れがたまる状態に置かないで，汚れが入り込むことを阻止するタイプのう蝕予防をすることが賢明だと思います．つまり，シーラント材という流れのよいレジン（プラスチックス）やセメントを用いて，このような裂溝をよく清掃した後，シールすることによって二度と汚染が起きないようにする予防法です．

ただし，歯の形成不全においては，裂溝以外，特に裂溝の内側，深側にも物性的に脆弱さがある場合や，構造や組成が酸などの化学的作用に対し弱い部分をもちあわせていることがありえます．通常の歯科接着性材料が接着できない性質をもつ場合があり，また異常な歯質は，細菌感染が明瞭な部位以外は，削りとるほど歯にも不利となります．したがって，削除を最少限度にとどめて冠などで被覆することで，強度的にも補い，刺激を避けるようにすることも少なからずあります．いずれにせよ，濃い色は汚染の危険性を指していると考えて，正確な診断を急ぎ仰ぐことが望まれます．

そのほか，溝には黒くないう蝕もできますから，定期的に歯科健診を受け，清掃法や間食についての指導を受けて，溝に汚れが残らない状態を保つことを勧めます．特にアメやグミ，チョコ，クッキーなどは溝にう蝕を作りやすい食品ですから摂取を減らすのがよいでしょう．野菜や海藻，豆類など，食物繊維の多い食品は歯面の清潔を保つために役立ちます．

（宮新 美智世）

3〜6歳
（幼児後期）

栄 養
3〜6歳

Q106

3歳児健診で肥満を指摘されました．このままだと成人期の肥満につながるかもしれないともいわれました．どのように改善したらよいですか？

A

3歳の標準体重のBMI（カウプ指数）は15前後ですから，体重(kg)/身長(m)^{2}が18を超えていれば肥満の可能性が高くなります．しかし，肥満に対しては大人と異なり，食事制限をすぐにかけるわけではありません．まずは睡眠や運動習慣などの生活全般の見直しから始めます．

関連質問 Q.130

Key word 肥満，生活習慣，間食

解説

私が過去に調査したところ，4か月時点での過体重の70%は3歳児では改善していましたが，小学校入学時の肥満の60%は3歳児時点で肥満が認められていました．肥満は放置していては改善しません．以下が3歳児肥満の対応の基本です．経験上，こうした基本を守ることによって改善することも多いです．

①生活リズムを整える（就寝，起床，食事時間，運動習慣など）．
②食事のバランスを適正にする（糖質に偏っていることが多い）．
③決まった間食以外の不定期の間食を避ける（間食はだらだら食いにつながり，結局は摂取量が多くなります）．
④ゆっくりと食べる（子どもだけではなく家族も一緒にゆっくりとよく噛んで食べることにより，早食いによる過食を避けることができます．急ぎ食べ，飲み込み食べはNGです）．
⑤食べたものを記録する（これによりメニューの偏りを防ぎます）．ノートに書くよりもスマホで食べたものをすべて記録（食事前後，間食の撮影）することもお勧めです．

なお，最近では低出生体重児が肥満を合併することが多いこともわかってきました．胎児期に栄養状態が悪いと出生後に過栄養から肥満をきたしやすいという胎児プログラミング説や，成人病胎児期起源（developmental origins of health and disease：DOHaD）説が提唱されています．低出生体重児の出生は増加傾向にあるので，出生体重が低い場合には，より肥満に注意が必要です．またPrader-Willi症候群も乳児期にはむしろ低体重のことが多いですが，この時期には肥満傾向になることがあります．肥満の場合，口腔衛生も悪くなることがありますので，定期的な歯科検診もお勧めしています．

参考文献
・平岩幹男：新版　乳幼児健診ハンドブック．診断と治療社，2019

（平岩　幹男）

栄養
3～6歳

Q107 野菜を食べたがりません．どのように食べさせればよいですか？

A 調理では，味付けの工夫，調味料の利用，噛みやすいように食べやすくします．また，食育を通じて親しみをもたせます．簡単なお手伝いをすると，食べられるようになることもあります．大人がおいしそうに食べる様子を見せたり，家族と楽しく，一緒に食べる(共食)ことも大切です．

関連質問 Q.35, 108　　Key word　味付け，調理法，食育

解説

　子どもの野菜嫌いの原因は，味や食感，食物繊維の固さに慣れていないことや，緑野菜の緑色は未成熟ととらえるなど色彩からも苦手になります．また，食経験が少ないので，見たことがない，食べたことがない食品は嫌がることがあるので，大人がおいしそうに一緒に食べることも野菜好きになるために効果的です．

　味付けにはたんぱく質のうま味や調味料を使って，食べやすくします．肉，大豆製品，卵，魚と一緒に料理します．調味料は，基本となる醤油や砂糖などのほか，カレーパウダー，ケチャップ，バターなどを使用します．

　咀嚼の問題には，食物繊維を断ちきるように切ったり，ぺらぺらしたレタスなどはチャーハンなどに入れてしんなりさせる，軟らかくなるまで煮込むなどして食べやすくします．また，食育をとおして親しみをもたせるとよいでしょう．例えば，栽培する，畑に行く，一緒にお店で選ぶ，洗う，混ぜる，型抜きするなどの簡単なお手伝いや調理体験から食べられるようになることもあります．また，弁当に入れていつもと違う雰囲気にすると食べることもあります．無理強いや，すりおろしたりしてわからないように混ぜ込むのは禁物です．自分で「食べてみよう」とする気持ちを大切にして，食べられたらたくさん褒めてあげましょう．

参考文献
・太田百合子：なんでも食べる子になる1歳，2歳からの偏食解消レシピ．実業之日本社，2013

（太田　百合子）

栄養
3〜6歳

Q108 市販の野菜ジュースは野菜の代わりになりますか？

A 野菜ジュースは，野菜ではありません．幼児期は，食品に親しむことが大切ですから，いろいろな野菜を見たり味わうことで食べ慣れていくことを根気よく教えることが大切です．噛むことで自然な味を記憶し，咀嚼機能や消化機能を発達させます．

関連質問 Q.107

Key word 食物繊維，栄養成分表示，野菜

解説

　野菜ジュースは，野菜を原料とした嗜好飲料です．市販の野菜ジュースの多くは「濃縮還元」製法で，濃縮したもの，または乾燥させて粉にしたものに水を加えて元の濃度に戻しています．濃縮せずにつくられたものは「ストレート」と表示されています．両者ともに殺菌のために加熱処理を加えているので，水溶性のビタミンCは減少しています．そこで，添加物としてビタミンCを補っているものもあります．野菜の不溶性食物繊維は，飲みやすくするために取り除かれています．

　幼児期は食品に親しむことが大切ですから，いろいろな野菜を見たり味わって食べ慣れることを根気よく教えることが大切です．噛むことで自然な味を記憶し，咀嚼機能や消化機能を発達させます．

　野菜ジュースは野菜と同じとはいえませんので，子どもの場合は野菜摂取の補助とともに野菜に親しむものの1つとします．パッケージの野菜を見ることから，味や色を感じさせてもよいでしょう．栄養成分表示をよく見て選び，甘く味付けされていることも多く飲み過ぎは食事だけでなくむし歯，肥満，偏食に影響しますから，飲む時間や量に気をつけます．

（太田　百合子）

栄養
3〜6歳

Q109 牛乳は欲しがるままに飲ませてよいですか？

A 好きなだけ飲ませるのは好ましくありません．子どもには水代わりに飲まないように適量を伝える必要があります．飲み過ぎるとほかの食品とのバランスが悪くなり，栄養素の過不足が生じます．1日の目安量は200〜300 mLくらいです．

関連質問 Q.43, 108

Key word カルシウム不足，栄養素の過不足，適量

解説

牛乳はカルシウム（含有量100 gあたり110 mg）のすぐれた供給源です．日本人の食事摂取基準2020年版では，カルシウムの推奨量は3〜6歳は1日550〜600 mgですが，国民健康・栄養調査における日本人のカルシウム摂取量は全体で1日500 mg台と推奨量を下回っています．カルシウムのほかにも，たんぱく質をはじめさまざまな栄養素を含んでいますので，適量の牛乳は重要な栄養源となります．

国内では，牛乳や乳製品の摂取量を増やすと小児期には骨量の増加に役立つという検証結果が発表されています[1]．

牛乳は，カルシウムの吸収率が高いですが，多量に飲み過ぎると他の食品とのバランスが悪くなり，栄養素の過不足が生じます．鉄不足による貧血や下痢をすることもあるので，1日の目安量は200〜300 mLくらいにします．よいものだからといって，多量に食べたり飲んだりすることがよいわけではありません．子どもには水代わりに飲まないように1日コップ1〜1.5杯が適量と伝えます．牛乳だけにこだわらずに，数ある食品のなかの1つと認識させましょう．

引用・参考文献

1) 厚生労働科学研究班（研究代表者 伊木雅之）：骨粗鬆症検診の有効性に関する研究・腰椎骨密度の低下は骨折リスクの上昇をどの程度反映するか．2002
・骨粗しょう症財団：牛乳を飲んでも大丈夫？（http://www.jpof.or.jp/osteoporosis/nutrition/milk.html）2022年8月24日閲覧

（太田 百合子）

栄養
3〜6歳

Q 110 お箸の練習はいつ頃から始めたらよいですか？ 訓練箸で練習したほうがよいですか？

A 箸の練習は，訓練箸に頼らずに生活や遊びのなかで指先の発達を促します．個人差があるので，子どもの指先の発達をみて練習につなげます．5〜6歳頃まで根気よくつきあっていきます．

関連質問 Q.77　　🔍 **Key word** 訓練箸，指遊び，箸の練習

解説

訓練（トレーニング）箸は，箸使いに不慣れな子ども用として，箸と箸をつなぐジョイントつきや指を入れる穴が指1本ずつリング状になっているものなどがあります．トングのような箸も子どもが使いたがるからと2歳頃といった早い時期から使わせていることもありますが，挟むだけなので箸使いが上手になるものではありません．

箸を使い始めるときには，手指のどこに力が入っているのかを確認します．ペングリップ（鉛筆持ち）のように指先に力が込められるかどうかは，スプーンやフォークをもったときに確認できます．指先の発達から考えると，箸の使用は3歳以降になります．

山下によると，3〜6歳児を対象にした箸の持ち方の練習の効果において，一定の練習期間を経たのち2週間おくと，3〜4歳児では練習前の持ち方に戻ってしまいますが，5〜6歳児では練習して上達した機能を維持し続けるとのことですから，周囲の人は焦らないことです．

箸使いの複雑な力加減を覚えるには，折り紙，紙をちぎる，コマ回し，粘土遊び，ブロック遊びなどや，レタスをちぎる，きのこをほぐす，ピーマンの種をとるなどのお手伝いから指先の発達を促します．

握り箸，クロス箸，並行箸のように矯正が必要な箸使いが身についているときは，箸の持ち方の手順を，繰り返し実践して自然に身につけさせていきます．子ども向けに正しい箸の持ち方を教える動画などで楽しく学ぶこともできます．大人の食べ方をみて真似をするので，一緒に食卓を囲んで，大人の正しい箸使いをみせるとよいでしょう．そのためには，大人も正しく箸を使う必要があります．

スポンジや豆を使ったお皿移しゲームなどをしたり，上手にできたときは褒めるなどして自信をつけさせていきます．道具を使いこなせるようになるには相応の時間がかかるので，根気よくつきあっていきます．

📖 参考文献

・山下俊郎：幼児心理学．朝倉書店，1971
・向井美惠（編著）：乳幼児の摂食指導〜お母さんの疑問にこたえる〜．医歯薬出版，2000

（太田 百合子）

栄養
3～6歳

Q111
食事の献立を決めるのが苦手です．どのようにしたら栄養バランスのよい献立が立てられますか？

A
一汁二菜を基本とし，複合料理としてカレーライスのように1皿に主食・主菜・副菜を含める方法もあります．献立を考えるときは，順序を身につけるとよいでしょう．

関連質問 Q.39, 45, 107

Key word 一汁二菜，考える順序，複数の食材

解説

食事の準備や総菜を利用するときは，主食，主菜，副菜を組み合わせ，さらには汁物，果物を考慮するというようにイメージします．

献立は，考える順序を身につけます．①主食（ごはん・パン・麺・シリアル）を決めます．②主菜（肉・魚介類，大豆・大豆製品，卵）を決め，調理方法（茹でる，煮る，焼く，炒める，揚げる）なども決めます．③副菜（野菜，いも，海藻，きのこ）を主菜の調理方法と同じにならないように決めます．④汁物，スープ（主菜，副菜に利用していない食材）を決めます．⑤果物は間食にしてもよいでしょう．

主食は，精白されたものばかりでなく発芽玄米，全粒パン，そばなどを利用することで不足しがちなビタミンB1，ビタミンE，鉄，亜鉛，マグネシウム，食物繊維が補えます．主菜は，それぞれの食品には栄養成分を多く含むもの，少ないものがあるので，肉だけ，魚だけに偏らないようにまんべんなく利用します．彩りがある緑黄色野菜や果物は，栄養的な価値があるばかりでなく，料理の見た目を華やかにして食欲を増す効果があるので，積極的に摂ることが勧められます．緑黄色野菜は，カロテン，カリウム，ビタミンC，葉酸などが補えます．子どもが苦手な野菜は，和風，洋風，中華風と味に変化をつけることで食べられるものが増えていくので，レシピなどを参考に工夫します．汁物，スープは，噛む力が未熟であり，水分補給を多く必要とする乳幼児には食べやすいものです．不足しがちな食物繊維も補えます．

このように和食文化である一汁二菜を基本とし，複合料理としてカレーライスのように1皿に主食・主菜・副菜を含めてもよいでしょう．

給食などの展示や毎月の献立表を参考にすることができます．

参考文献
- 堤ちはる，他（編著）：子育て・子育ちを支援する 子どもの食と栄養 第10版．萌文書林，2021：49
- 日本小児保健協会栄養委員会：提言「Withコロナ時代の子どもの食事」Withコロナ時代の子どもの栄養～提言～最終原稿改定版-20210315-2．(jschild.or.jp) 2022年8月24日閲覧

（太田 百合子）

栄養
3〜6歳

Q112
自閉スペクトラム症の児の栄養や食事では，どのような注意や支援がありますか？

A
自閉スペクトラム症（ASD）を抱えていると，食行動の問題を高率に抱えます．偏食がその代表ですが，食べられるものを食べさせているとより強くなります．また食事そのものに関心がなかったり，時期によって少食と過食を繰り返すこともあります．

関連質問 Q.80, 123

Key word 自閉スペクトラム症，こだわり，偏食

 解説

ASD（autism spectrum disorder）では，感覚過敏を含むこだわりの症状がみられます．こだわりが摂食に出現すると，偏食や異食症を含む食行動の異常がでてきます．成人のASDでも偏食はとても多いのですが，野菜嫌いの場合には青汁や野菜タブレットの摂取など栄養面の補充を，肉や魚が嫌いな場合には大豆製品などの補完やプロテインパウダーの使用をしている場合もあります．

社会で生活していくためにはいろいろなものが食べられたほうが都合がよいのですが，ASDの偏食はかなり頑固なこともあり，保護者が心配して食べられるものを積極的に与えていると偏食はより強くなります．偏食は4歳を過ぎてから直していくのはかなり大変なので，なるべく早めに「褒めながら」「少量ずつ」新しい食べ物に挑戦するように勧めています．

Q79のページのサンドイッチ法もありますが，何よりも楽しく食べることです．新奇恐怖（新しい食べ物への怖れ）がしばしばみられるので，「食べなさい」ではなく，まず「食べてからおいしいねという」ところをみせましょう．家庭よりは園などでみんなが一緒に食べるほうが偏食の解決につながることもあります．食べることを強制する，食べなければ罰を与えるという方法は，学校給食ではしばしばみられますが，ASDの場合には多くの場合にパニックにつながるだけです．給食での配慮は合理的配慮の一環であり，医療機関で意見書を発行することもあります．

食事そのものに関心がない場合でも，お腹は空くので食べにはきます．しかし，決まった時間に食事をしようとすると，うまくいかないことがしばしばです．あくまで食事時間になるべく「お腹が空いた」状態をつくること，すなわち運動習慣をつけることが勧められます．

少食と過食を繰り返す場合には，多くは睡眠リズムも少眠と過眠になっています．リズムを無理に補正しようとするのではなく，まず体を動かしたりして生活リズムを整えましょう．睡眠については最近ではメラトニン製剤の投与もできるようになってきました．

参考文献
・平岩幹男：イラスト版 幼児期のライフスキルトレーニング．合同出版，2022

（平岩 幹男）

アレルギー
3〜6歳

Q113 軟体類を除去するときの注意点と工夫は，何ですか？

A 軟体類（イカ，タコ），練り製品などの軟体類を含む食品を除去します．イカとタコはアレルギーの原因になるたんぱく質の構造が似ているため（交差抗原性），イカにアレルギーがあるとタコでも症状がでる場合があります．

関連質問 Q 81

Key word 軟体類，除去食

 解説

　軟体類のアレルギーの原因たんぱく質は，エビやカニなどの甲殻類，貝類とも交差抗原性があることがわかっていますが，甲殻類アレルギーがあって，実際に軟体類や貝を食べて症状がでることはそれほど多いわけではなく，また甲殻類アレルギーほど数も多くはありません．

　イカは加工食品の原材料への表示が法律によって推奨されていますが，タコは推奨項目には含まれません．いずれも，「魚介類」などで表示をされている可能性があり注意が必要です．しらす干しや海苔などには，捕獲方法によって稚イカや稚ダコが混入することがあります．漁場や漁法，時期によっても混入の割合は異なりますが，微量の摂取で重篤な症状がでる場合でなければ，大量ではないので，食べても問題がない場合が多いです．また，そのものを避けていれば，だしやこうした微量の摂取では問題がないことが確認できると，外食などでの管理がしやすくなります．

参考文献
・厚生労働科学研究班（研究代表者 海老澤元宏）：食物アレルギーの栄養食事指導の手引き 2017．2017
・環境再生保全機構：ぜん息予防のためのよくわかる食物アレルギー対応ガイドブック 2021 改訂版．2021

（長谷川 実穂）

アレルギー
3〜6歳

Q114

食物アレルギー児は園や学校にどのような手続きをすればよいですか？ 対応は何をしてもらえますか？

A

「保育所におけるアレルギー疾患生活管理指導表」や「学校生活管理指導表（アレルギー疾患用）」などを医療機関に記入を依頼し，園や学校に提出します．その書類に基づき，園や学校の食物アレルギー対応委員会が協議し保護者と相談のうえ対応を決定していきます．

関連質問 Q 115

Key word 生活管理指導表

解説

子どもたちの集団生活においては，保育所におけるアレルギー対応ガイドライン（2019年改訂版）や，学校におけるアレルギー疾患に対する取り組みガイドライン《令和元年度改訂》が整備されており，これらのガイドラインに基づき安心・安全な集団生活が送れるように取り組みます．円滑な情報伝達手段として「保育所におけるアレルギー疾患生活管理指導表」や「学校生活管理指導表（アレルギー疾患用）」があり，医療機関に記入を依頼し園や学校に提出することができます．

集団生活でのアレルゲンの摂取については家庭での対応とは異なり，人員や設備を考慮し安全性を最優先した無理のない対応がよいでしょう．

参考文献

- 厚生労働省：保育所におけるアレルギー対応ガイドライン（2019年改訂版）．2019．（https://www.mhlw.go.jp/content/000511242.pdf）の「5 保育所保育指針関係」2022年8月26日閲覧
- 日本学校保健会：学校におけるアレルギー疾患に対する取り組みガイドライン《令和元年度改訂》．2000．（https://www.gakkohoken.jp/book/ebook/ebook_R010060/index_h5.html#1）2022年8月26日閲覧

（吉田 幸一）

アレルギー
3～6歳

Q 115 食物アレルギー児が調理実習や粘土制作などで気をつけることは何ですか？

A 食物アレルギーは，原因となる食物を口から食べたとき以外にも，触れたり吸い込んだりすることで症状が現れることがあります．

関連質問 Q 151

Key word 調理実習，牛乳パック，小麦粘土

解説

　集団生活のなかで給食以外に食品を扱う代表的な場面として，調理実習や蕎麦打ちなどの課外学習があります．また小麦粘土や牛乳パックを使った工作，行事などで食物と触れる機会は少なくありません．これらの場面において食物アレルゲンに触れたり吸い込んだりすることで症状が誘発される場合があります．また乳幼児期は様々なものを口に運びやすい時期でもあり注意が必要です．

　症状出現時の対応は，食品摂取後に症状が誘発された場合と大きな違いはありません．乳幼児の場合は口腔内の違和感など軽微な症状を訴えることができない場合もあり，注意深い観察が必要です．アナフィラキシーなど重篤な症状があれば，アドレナリン注射液（エピペン®）を使用すべきです．周囲に食物抗原が残存している場合は，「その場を立ち去る」「皮膚に付着している原因物質を洗い流す」「食品が衣類についている場合は着替える」などして原因食品との接触を断つことも大切です．

（吉田　幸一）

アレルギー
3〜6歳

Q 116
食物アレルギー児が友達の家などを訪れるときに気をつけることはありますか？

A
丁寧に情報を伝えることが大切です．訪問する家庭の方にどの食品についてアレルギーがあるのかを事前にはっきりと伝えておくと，友達の保護者も準備がしやすくなります．また，サインプレートなどを利用して子ども同士でもわかりやすくしてあげるとよいでしょう．

関連質問 Q 117

Key word 情報共有，食物アレルギーサインプレート

解説
食物アレルギーのない子どもの保護者は，食物アレルギーに関する知識は十分ではありません．また，以前に訪問した家庭の保護者でも，何に対してアレルギーがあったのかを忘れてしまうことは少なくありません．そして，子ども自身も成長とともに摂取できる食品が増え，対応の必要な食品が変化します．一度伝えていても，繰り返しわかりやすく説明することで安全性が高まります．緊急時に備え連絡先などを伝えておくことも大切です．情報伝達の手段として，「食物アレルギーサインプレート」（図）などを利用すると，誰の目にもわかりやすい形で表示でき，自分で伝えられない児でも周囲に情報伝達することが可能です．

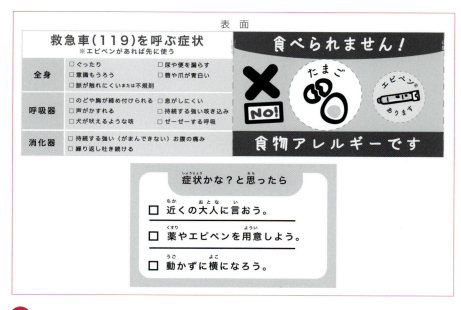

アレルギー
3〜6歳

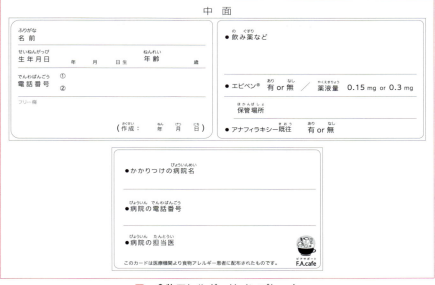

図 食物アレルギーサインプレート

このサインプレートは医療機関を通じて配布されています．
（NPO法人ピアサポートF．A．cafe）

📖 参考文献

- Yamamoto-Hanada K, et al.：Caregivers of children with no food allergy--their experiences and perception of food allergy．Pediatr Allergy Immunol 2015；26：614-617
- NPO法人ピアサポートF．A．cafe．（https://www.facafe.org/）2022年9月30日閲覧

（吉田　幸一）

アレルギー
3〜6歳

Q117
食物アレルギー児が他人から食べ物をもらったときの対応はどのように教えればよいですか？

A
他人としっかり意思疎通ができる子どもには，もらった食品に何が入っているかを尋ねることと，食べられない場合ははっきり伝えるようにお話しましょう．まだ自分で伝えることができない場合は，サインプレートなど見てわかるものを使用して食べられない食品を伝える方法があります．

関連質問 Q 116　　　Key word　食物アレルギーサインプレート

　子どもは成長とともに生活範囲が広がり，保護者のいないところで他人から食べ物をもらって食べる機会が増えていきます．子ども自身が自分のアレルギーについて理解することも重要で，他人に自分が何に対してアレルギーがあるかしっかり伝えられるようにします．まだ自分で伝えられない子どもや，伝えにくい状況にある場合は，「食物アレルギーサインプレート」（Q116参照）など視覚でわかるものを衣類や持ち物に表示することで周囲に伝える方法もあります．

　もう1点，大切な誤食予防法は，子どもがともに生活する周囲の人々に食物アレルギーについて正しく理解してもらうことです．医療機関や教育機関で働く私達は，日頃から積極的に食物アレルギーの正しい情報を社会へ伝えていく必要があります．子どもが地域社会のなかで安心して安全な生活を送るための情報提供を継続して行う必要があります．

参考文献
・NPO法人ピアサポート F．A．cafe．（https://www.facafe.org/）2022年9月30日閲覧

（吉田　幸一）

アレルギー
3～6歳

Q.118 緩徐経口免疫療法と急速経口免疫療法の違いは何ですか？

A 緩徐経口免疫療法は長期間かけて少しずつ摂取量を増量する方法です．急速経口免疫療法は摂取量を急速に増量していく方法で，短期間で摂取可能量に到達することが期待できます．ただし症状が誘発されるリスクが高いため入院管理下で行われることが多いです．

関連質問 Q.163

Key word 免疫療法，症状誘発リスクへの対応，インフォームド・コンセント

解説

食物アレルギーに対する免疫療法の有効性についてはすでに多くの報告がされています．しかし，現段階では経口免疫療法は安全性に対する懸念があり専門医のもとで行う研究的段階の治療です．どのような方法で実施する場合でも緊急時の対応に万全を期し，患者および保護者からの十分なインフォームド・コンセントを得たうえで実施する必要があります．

また近年では，食物摂取制限解除を目指した日常摂取量の摂取を目指すのではなく，QOLの向上を目指した日常摂取量以下の量を目標量とした免疫療法も取り組まれています．

①緩徐法：急速法のように短期間で摂取量を急激に増やすことは行わず，主に外来診療として行われます．少量の抗原が摂取でき誘発症状も重篤でない場合，選択されることが多い方法です．

②急速法：治療初期の短期間に摂取量を急速に増加させ，この時期は症状誘発リスクが高く，入院管理下で行われます．急速増量期が終了した（目標量に到達した）後も自宅での継続的な摂取が必要となります．

参考文献
- Miura Y, et al.：Long-term follow-up of fixed low-dose oral immunotherapy for children with severe cow's milk allergy. Pediatr Allergy Immunol 2021；32：734-741

（吉田 幸一）

歯科
3〜6歳

Q119 永久歯はいつ頃から生えますか？生え揃うのはいつ頃ですか？

A 最初の永久歯は6歳前後に，下の真ん中の乳歯が抜けた後に生えてきます．少し遅れて，生え変わりではなく新たな奥歯の6歳臼歯も生えてきます．上下28本の永久歯が生え揃い，噛み合わせが完成するのは15歳頃です．

関連質問 Q.62, 167　　🔍 **Key word** 永久歯，萌出時期，萌出順序

解説

永久歯が生えてくる年齢は個人差が大きく，他の子どもと比べて心配する保護者も少なくありません．例えば，最初に生えてくる下顎中切歯では，早い子は5歳半頃に，遅いと小学校2年生になってから生えてくる子もいます（図）．生えてこないからと心配する保護者の不安を軽減させるような対応と，丁寧な経過観察が大切です．

小学校2年生の後半になっても1歯も生えてこなかったり，他の永久歯が先に生えてきたり，生え方の順序が異なったりしているときには，永久歯が先天的に欠如している可能性もあるので，X線検査をする必要があります．

乳歯20本の生え変わりは，小学生の間に少しずつ進み，すべてが永久歯になるのは10〜12歳頃です．続けて生え変わる時期もあれば，しばらく生え変わらない時期もあります．奥歯が生え変わる時期には，一時的に噛みにくくなって，食べるのに時間がかかるようになることもあります．

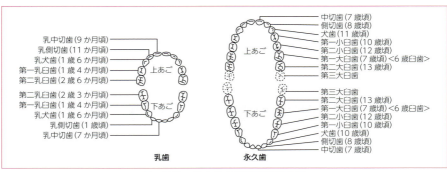

図　乳歯・永久歯の萌出時期（目安）

📖 参考文献

- 日本小児歯科学会：日本人小児における乳歯・永久歯の萌出時期に関する調査研究Ⅱその2．永久歯について．小児歯誌 2019；57：363-373

（田中　英一）

歯科
3〜6歳

Q120 歯が痛むときの応急処置は,どうすればよいですか?

A 子どもは痛みをうまく表現できません.どんなときに痛むのか,どこが痛むのかなどを聞くだけでなく,表情やしぐさもよく観察してください.できるだけ早く受診することが一番ですが,それまでの応急処置として,歯ブラシで歯をきれいにしたり,市販の痛み止めを飲ませたり,痛むところを水道水程度の温度で冷やしたりするとよいでしょう.

関連質問 Q 68, 168　　**Key word** 乳歯,疼痛,応急処置

解説

子どもの歯の痛みは,大人と違って突然生じることが少なくありません.それには,いくつかの理由があります.

① 歯と歯の間にできやすいので,う蝕ができていることに気がつきにくいこと(図の中の矢印で示す部分).
② 歯の表層のエナメル質(人体で最も硬い組織)が薄く,いったんできると進行が速く,歯の神経(歯髄)までう蝕が進行しやすいこと.
③ 痛みの感覚が未成熟であることから,軽度の痛みがあっても気がつきにくいこと.
④ 言葉の発達などから,痛みをうまく訴えられないこと.

う蝕は感染症ですが,他の感染症のように感染して数日で症状がでるわけではありません.①う蝕菌のエネルギー源となる糖分,②う蝕菌によって産生された酸が繰り返し歯を脱灰させる時間,③歯の質(強さ)などの要因が関連して,徐々にでき始めます.

したがって,定期的に健診を受け,う蝕をつくらないようにすることと,痛みが生じない初期段階でう蝕を発見し,適切な処置を受けることが何よりも大切です.

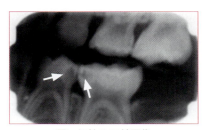

図　う蝕のX線画像
口の中をみると,一見う蝕はないようだが,X線写真を撮ると中等度のう蝕(黒くみえる部分)を認める(矢印).

(田中 英一)

歯科
3〜6歳

Q121 奥歯で噛まずに前歯でばかり噛んでいます．どうすればよいですか？

A 奥歯にむし歯があってうまく噛めないこともあるので，口の中をよくみてください．むし歯もなく奥歯がしっかり噛み合っているのに噛まないのであれば，少し軟らかめに調理したもので，よく噛んで食べることを身につけるようにするとよいでしょう．

関連質問 Q.127, 139

Key word 食べ方，摂食行動，咀嚼

解説

乳歯が生え揃って乳臼歯がしっかり噛み合う幼児期後半（3〜6歳）になると，成人とほぼ同じものが食べられるようになります．しかしながら，噛む力はまだ弱いので，食べ物の大きさや固さなどに配慮する必要があります．前歯で噛んでばかりいて奥歯で噛まないという場合，2つの理由が考えられます．1つはう蝕（むし歯）があることによって本来噛めるはずの奥歯が機能できない場合，もう1つはしっかり噛める状態にあるのに，噛み方が上手ではない場合です．

食べ方は，授乳期から順を追ってその機能を獲得し，3歳までに成人と同じ食べ方ができるようになります．前歯で噛みちぎる機能を身につけるのは前歯が生え揃う1歳頃，奥歯で噛むことを（咀嚼）身につけ始めるのは奥歯が生え始める1歳6か月頃からです．表は保育所におけるアンケート調査の結果ですが，食べ方を，口に取りこむこと（捕食）が苦手，食べ物を噛むこと（咀嚼）が苦手，飲み込むこと（嚥下）が苦手に分けたものです．咀嚼が苦手な子どもは，4歳以降は年齢とともに少なくなってきていて，幼児期後半に機能が成熟してくることがわかります．この時期に食べ方に課題がみられる場合には，捕食か，咀嚼か，嚥下のどの機能に課題があるのかを見極めて，機能の発達段階をふまえた対応が大切です．

表 保育所における乳幼児の食べ方の問題点

内容	年齢					
	2歳(22名)	3歳(32名)	4歳(29名)	5歳(27名)	6歳(5名)	計(115名)
捕食が苦手(人)	3	2	6	4	1	16(14%)
咀嚼が苦手(人)	6	7	6	4	0	23(20%)
嚥下が苦手(人)	1	3	3	3	0	10(12%)

(向井美恵，他：乳幼児の摂食行動と性格特徴〜保育所におけるアンケート調査．昭和歯学誌 1990；10：270-278 より改変)

参考文献

・向井美恵，他：乳幼児の摂食行動と性格特徴〜保育所におけるアンケート調査．昭和歯学誌 1990；10：270-278

（田中 英一）

歯 科
3～6歳

Q122
睡眠時に歯ぎしりをしていますが，放置しておいてよいですか？ 対策はありますか？

A
子どもの歯ぎしりは基本的に歯や歯周組織にそれほど悪影響を及ぼすものではありません．直接の原因は不明です．音が気になる場合，就寝時に短期間マウスピースを装着して，その後の経過を観察する方法があります．

関連質問 Q.98

Key word 歯ぎしり，睡眠時，マウスピース

解説

　睡眠時の歯ぎしりは幼児期～学童期にかけて増加しますが，それ以降は徐々に減少していきます．子どもの歯の萌出などによる歯列や顎顔面の成長変化の過程で生じる1つの現象であり，病気とは異なります．比較的浅い睡眠のときに起こるため，深く眠ることができない場合に起こりやすくなります．歯ぎしりに先立って心拍数や一時的な脳活動が認められることから，睡眠中の一時的な脳の活性化による咀嚼筋活動といわれています[1]．咀嚼筋活動とは，通常上下の歯で噛むことをいいますが，歯ぎしりは歯を接触した状態で水平方向に動かす動作をいいます．

　原因には，就寝時の不安やストレスといった心理的要因，不規則な生活様式，夜泣きや夜尿症，いびき，多動傾向などがあげられています[2]．また局所的には歯の異所萌出，捻転などによる不正咬合が考えられます．子どもの歯槽骨や歯の支持組織は成人に比べて容易に順応し，外からの機械的影響を緩和しますので，普通，歯や口腔組織にそれほど破壊障害を起こすことはありません．

　音が気になる場合，口腔内に軟らかい材質で作成したマウスピースを1～2週間装着し，その後取り外して軽減するケース，しばらく経過観察中に徐々に軽減していくケースが報告されています．また言語能力や運動能力，知的機能の遅れ，特異な動作を特徴とする進行性の神経疾患，Rett症候群では，歯ぎしりが診断の契機となることが報告されています[3]．

文献

1) 河村洋二郎：第10章 口顎に関したいろいろの習慣．歯学生のための口腔生理学．永末書店，1972：263-266
2) 加藤隆史：身近な歯ぎしりの少し難しい話．第12回子ども学会議プログラム集 2015：19
3) Alpoz AR, et al. : Bruxism in Rett syndrome : a case report. J Clin Pediatr Dent 1999 ; 23 : 161-163

（渡部 茂）

歯科
3〜6歳

Q123 発達障害児の歯科受診で気をつけることはありますか？

A 歯科受診に対する本人の協力性や全身状態，口腔の状態や治療の必要性と内容，受診する歯科医療機関での受け入れ態勢などによります．保護者などからの十分な情報収集に基づいた診療計画の立案を行います．高次医療機関での診療が必要になることもありますが，その後の継続した定期管理が重要といえます．

関連質問 Q 167

Key word 情報収集，かかりつけ歯科医，継続管理

解説

発達障害児が歯科受診する場合の問題点として，知的能力障害による診療への協力の困難，身体・運動機能障害による姿勢や開口の維持の困難，視覚・聴覚障害によるコミュニケーションの困難，日常の口腔健康管理の困難，合併疾患がある場合の全身管理の必要性などがあげられます．

歯科での医療面接では，主訴とともに，歯科的・全身的な既往歴，疾患や障害とその程度，コミュニケーション能力や方法，特有な行動特徴，診療に対する要望を情報収集して，診療計画立案および必要に応じた行動調整法を選択します．また全身疾患を有する場合は，医科との連携を密にして，現在の全身状態，服薬の有無と内容，その他留意点をあらかじめ確認します．本人のみでは意思の確認が難しい場合もあるので，必ず保護者などに今後の診療計画を提示，説明して承諾を得ます．

受診した歯科医療機関での治療が困難である場合は，二次医療機関（地区口腔保健センターなど）や三次医療機関（歯科大学病院，病院歯科）に診療を依頼するなど，医療連携を図る場合もあります．歯科疾患の特徴から，継続的な予防指導や処置を受け，口腔を健康な状態に保つことが非常に大切です．高次医療機関での治療が終了した後であっても，居住する身近な地域に自身のかかりつけ歯科を決め，症状がなくとも定期的に歯科受診して必要な処置や指導などの継続管理を受けるようにします．

う蝕などの歯科治療は，早期の集中的な治療が必要な場合，頻回の通院が難しい場合，遠方からの通院の場合などは全身麻酔法を用いた処置を検討することもあります．

いずれにしても日常の口腔のケアや定期的な歯科受診が大切です．

参考文献
・東京都立心身障害者口腔保健センター：スペシャルニーズデンティストリーハンドブック．2015

（関口 五郎）

歯　科
3～6歳

Q124
歯の石灰化不全とはどのような状態ですか？

A 歯は石灰化という過程を経て顎の中で硬くなりますが，その過程において何らかの原因で石灰化が阻害されると歯が弱い状態になります．歯の表面がざらざらして汚れが除去しにくく，そのためむし歯にもなりやすいので，注意が必要です．

関連質問 Q.170　　🔍 **Key word**　石灰化不全，歯の白濁，歯の変色

解説

　歯の石灰化不全は，すべての歯に生じるものと，局所的に一部の歯に生じるものがあります．前者は遺伝的に生じるエナメル質形成不全症などがあり，後者は乳歯の外傷（歯をぶつける），乳歯のう蝕が原因で永久歯に生じるものがあります．石灰化不全の原因を明らかにするためには，家族で同様の歯を有しているかどうか，乳歯列期（乳幼児の時期）に歯をぶつけた既往や，重度の乳歯う蝕があり歯肉が腫れるなどの状態がなかったかどうかの確認も必要です．

　健全な歯は透明感のある白黄色ですが，形成不全歯は白濁することが多く，重度であれば歯の表面に実質欠損を伴うものも少なくありません．歯の一部に生じるものでは，濃い黄色や茶色に着色しているものも見受けられます．また最近では，永久歯の切歯と臼歯の一部に限局したエナメル質形成不全(molar-incisor hypomineralization：MIH)とよばれる形成不全も報告され，国内の調査でも10%を超える発症頻度が報告されています．さらに乳歯でも，第二乳臼歯に限局したエナメル質形成不全(hypomineralized second primary molars：HSPM)があり，HSPMを有する患者の多くがMIHになることも報告されているため，乳歯のときから注意して観察する必要があります．

　このような石灰化不全の歯は，健全な歯と比較してう蝕になりやすく，また進行しやすいことが報告されています．したがって，表面の粗造の程度にもよりますが，歯磨きなどに加え，フッ化物による歯質の耐酸性の向上や，積極的な人工物による修復により歯の崩壊を防ぐ必要があると考えられます．そのため，形成不全歯を有する患者には，かかりつけ歯科医院でのう蝕の精査のみならず，口腔清掃指導や間食指導，フッ化物の応用など，定期的な口腔内管理を受ける必要性を十分に説明して，理解してもらうことが大切です．

（齋藤　幹，福本　敏）

歯科
3～6歳

Q125
着色歯とはどのようなものですか？ 食べ物が原因ですか？

A 食物による着色の例は多く，日常のブラッシングや歯科での処置でおおむね除去することができます．しかし，その他にう蝕，歯髄壊死，抗菌薬の副作用，歯の形成不全など多くの原因があり，歯科での診査と処置が必要な場合があります．

関連質問 Q 103

🔍 **Key word** 食物による歯の着色，食物以外による歯の着色

解説

着色歯には，以下のような原因があります．

①**食物によるもの**：コーヒーや紅茶，お茶の常飲による色素沈着など，食物や嗜好品による原因で歯の表面が着色します．期間が経っているものや着色が強く，ブラッシングのみで除去が難しい場合は，歯科医師や歯科衛生士による歯面研磨などが必要になります．

②**う蝕によるもの**：う蝕は入り口が狭く，奥が広くなっている場合が多くみられます．象牙質内部でう蝕が広がっている場合，外からはう蝕の部分が黒く影のようにみえます．特に歯と歯の間にできたう蝕は，家庭での発見が難しいことが多いため，症状がなくても定期的に歯科受診をして，継続した予防指導・処置を受けることが大切です．う蝕がみられた場合は早期の治療が必要です．

③**歯髄壊死によるもの**：転倒による顔面打撲など，歯（特に前歯）に大きな力が加わった場合，歯髄（歯の神経）の壊死をきたすことがあります．受傷後，時間をかけて歯冠全体が褐色に変色してきます．外傷を受けた場合，医科での処置とともに早めに歯科にも受診して，歯の動揺や破折の有無などの診査や必要な処置を受けるとともに，経時的に歯の変色の経過をみます．変色の状況や歯髄の生死を確認して歯髄壊死が確認された場合は，根管治療（歯の神経の治療）が必要になります．

④**抗菌薬の服用によるもの**：幼少時にテトラサイクリン系抗菌薬を長期間服用することで，永久歯の歯冠全体が左右対称に黄色や灰色がかかったような色調になることが報告されています．着色が象牙質内部で進行するため，歯面研磨などで着色を除去することはできません．

⑤**歯の形成不全によるもの**：歯の外表面を構成するエナメル質に形成不全がある場合，より濃色の象牙質が透けてみえることで，色調の変化をきたします．エナメル質形成不全には遺伝性のもの，Down症や脳性麻痺など疾患・障害に起因するもの，局所的なもの（栄養障害，発疹性疾患，熱性疾患，過度のフッ素摂取）などが原因としてあげられます．形成不全により欠損が大きく，う蝕の発生や知覚過敏などの症状がある場合は，歯科での修復処置が必要になります．

📖 **参考文献**

・新谷誠康：歯科医師の身近な先天異常～エナメル質の形成障害．J Health Care Dent 2010；12：18-24

（関口 五郎）

歯科
3～6歳

Q126 仕上げ磨きは何歳まで必要ですか？自分で上手に磨けるようになるにはどうしたらよいですか？

A 一般的に，仕上げ磨きは生後6か月くらいで下の前歯が生えてきた頃から，永久歯が生え揃う10～12歳くらいまで続けることが推奨されています．

関連質問 Q.67, 68

🔍 **Key word** 仕上げ磨き，歯磨きの上達，混合歯列期

解説

　歯磨きの上達のためには，手の動きの巧みさが必要となります．子どもが食具などを自分で使えるようになったり，歯ブラシをしっかりもって自分の口の中に入れられるようになったら，子ども自身に歯ブラシをもたせてみましょう．

　一般的には，手の動きが上手になるにつれて，下の歯を前後に磨く → 前歯を横に磨く → 手首を返して上の歯を磨く，の順番に自分で磨ける範囲が増えていきます[1]．

　3歳頃になると，簡単な部分は自分で磨けるようになってくるので，大人がやっているところを見せて，真似をするように促すとよいでしょう．また，歯ブラシの毛先を効果的に使うために，「シャカシャカ音が鳴るように磨いてね」などと声をかけることで上手に手を動かすことができます．

　4歳頃になると，手の動きのぎこちなさがとれ，歯磨きは上達していきます．磨き残している歯も，鏡を見ながらであれば上手に磨くことができるようになってきます．自分の歯を鏡で見ながら磨くことで，「この歯も磨かなくちゃ！」という意識をもつことができます．

　5歳頃になると，歯の裏側も段々と上手に磨けるようになってきます．手鏡を見ながら歯磨きをすることで，より的確に歯ブラシを当てることができて，磨き残しが少なくなります．

　6歳頃になると手の動きもよくなり，大人の真似をしながらかなり上手に磨けるようになります．しかし，12歳頃までは，乳歯と永久歯が混在する「混合歯列期」と呼ばれる時期であり，歯の大きさが違っていたり，歯の高さがでこぼこしているために磨き残しが生じやすい時期といえます．そのため，永久歯が生え揃う12歳頃までは，磨き残しやお口の中の点検も兼ねて仕上げ磨きをすることをおすすめします．歯と歯の間の歯垢（プラーク）は歯ブラシだけでは落とせないため，デンタルフロスを使うことも大切です．

文献
1) 神山ゆみ子，他：Recipe7 歯磨き大好き．丸森英史（監修），ママになった歯科医師・歯科衛生士・管理栄養士が伝えたい！　食育とむし歯予防の本．医歯薬出版，2019；83-104

（三分一　恵里）

3～6歳（幼児後期）

歯科
3～6歳

Q127 子どもの歯がむし歯になりました．食事にどのような影響がありますか？

A 乳歯のむし歯により，痛みを生じたり噛みにくくなったりすると，固い食べ物を避けるなどの偏食や食べ物の丸飲みなどの悪習慣につながります．

関連質問 Q 68, 121

Key word 乳歯のむし歯，偏食，丸飲み

解説

むし歯により，噛むときに痛みを生じたり，噛みにくくなったりすると，固い食べ物やよく噛まなければ飲み込めないものを避け，やわらかいものを好むなどの偏食になりやすくなります．また，痛みを避けるために，むし歯がないほうの歯で噛む癖がつく場合があり，咀嚼が不十分になったりその後のかみ合わせや歯並びを乱す原因につながりやすくなるといわれています．

そのほかにも，痛みが原因でよく噛まずに飲み込んでしまうようになることで，丸飲みの習慣がついてしまうことがあります．食物を丸飲みすることで，栄養素を吸収しにくくなり，体の成長そのものにも影響がでる可能性があります．さらに，むし歯によりうまく噛めなくなることや丸飲みの習慣により咀嚼回数が減少し，噛む力の発育や顎の発達を妨げることもあります．

また，重症あるいは多発性のむし歯が放置されている場合には，背景に児童虐待とくにネグレクトがある場合があります．保育所や学校生活等でむし歯の放置や食べ方の異変などを把握している場合には，学校歯科医に相談したり，必要に応じて市町村窓口などと連携を取ったりなど，多方面からの見守りと支援が必要です[1]．

幼児期の食生活や食べ方が個人の生涯の食習慣や食べ方の基礎となるため，この時期に健康的で健全な咀嚼機能の基礎を確立することは重要です[2]．くわえて，幼児期は離乳期に続いて子どもの味覚を育てる大切な時期です．むし歯があることで，偏食につながることは，豊かな味覚を育むことを妨げることにもつながります．

文献

1) 愛知県児童虐待防止対応マニュアル専門会議（編）：歯科医療，歯科保健にかかわる人のための子どもの虐待対応マニュアル．愛知県，2012：9-11
2) 新井映子，他：咀嚼の本2～ライフステージから考える咀嚼・栄養・健康～．日本咀嚼学会（編），口腔保健協会，2017：19-23

（三分一　恵里）

歯科
3～6歳

Q128
鼻づまりでいつも口がポカンと開いていて，食事も食べにくそうにしています．どうしたらよいですか？

A
アレルギーや花粉症など鼻咽頭疾患があると口呼吸の習慣がつきます．まず，耳鼻科を受診して，口呼吸の要因を改善しましょう．鼻呼吸が可能になった後も，習慣的に身についた口唇閉鎖不全がある場合は口腔筋機能療法（MFT）を行います．

関連質問 Q 100

Key word MFT，口唇閉鎖不全，口呼吸

 解説

　鼻呼吸障害の要因は，副鼻腔炎やアレルギー性副鼻腔炎などの種々の鼻咽頭疾患や呼吸器の障害などがあげられます．このような要因で口呼吸が続くと，頭痛，睡眠障害や注意力の低下などを生じることがあります．また，歯列不正や口腔乾燥による虫歯や歯周病の発症リスクが高まります．まずは耳鼻科を受診し，これらの疾患の有無を確認する必要があります．口唇が開いたままでは，咀嚼や嚥下などの食物の処理がうまくできません．そのため鼻咽頭疾患治療後でも，口腔閉鎖不全が習慣となって口呼吸をしている場合は，鼻呼吸の練習と口腔筋機能療法（oral myofunctional therapy：MFT）を行います．MFTは，歯列の正常な形態を維持するために口腔周囲の筋肉の改善をはかるものです．かかりつけ歯科医院の歯科医師と歯科衛生士が状態に合わせた訓練を説明します．

　口唇を閉じて鼻呼吸を実施するための訓練を2つ紹介します[1,2]．

　①舌と口唇の適切な位置の訓練：口蓋前方に舌の先を置きます．舌全体は口蓋に軽く接触し，口唇は軽く閉じます．安静時にこの状態を習慣化できるように意識しましょう．

　②ボタンプル訓練：直径2～3 cmのボタンにひもやデンタルフロスを通したものを用意します．ボタンを歯と口唇の間に入れます．ひもを前方にまっすぐ引っ張り，その間にボタンが口から出ないよう口唇を閉じます．これを10回程繰り返します．

参考文献
1) 橋本律子，他：MFTを始めるための基礎知識．日本歯科評論 2013；9：41-48
2) 山口秀晴，他：やさしくわかるMFT．わかば出版，2014

（西村　瑠美）

歯科
3〜6歳

Q129
食べ方が速いのですが，どんな問題が起こりますか？ どうしたら直せますか？

A
よく噛まずに丸呑みをする習慣がつくと，過食から肥満の原因になるといわれています．また，咀嚼機能の発達に影響を与えます．適度に噛みごたえのある食品を食事の中に取り入れるようにしましょう．

関連質問 Q. 74, 100

Key word 咀嚼，早食い，噛みごたえ

解説

　食物を噛みくだく「咀嚼」による効能は多く報告されています．小児期においては，脳の発育活性化，運動能力の向上，顎の正常の発育を促すことなどが知られています．また，よく噛むことで，少量で満腹感が得られ，食べ過ぎを抑えることができます．離乳後に本格的に咀嚼が始まり，成長とともに咀嚼できる食品が増え，幼児期や学童期にかけて咀嚼の発達が続きます．軟らかい食物ばかりを食べて，咀嚼の発達期に適切な負荷がない場合は，咀嚼器官が発達しないまま成人してしまう可能性があります．身体の発達や口腔内状態に合わせた適切な負荷を加えて，下顎骨や筋肉などの咀嚼器官を育成する必要があります．幼児期に健全な咀嚼機能の基盤を確立し，味覚を育てることが生涯の健康的な食習慣の定着につながります．

　3歳頃には乳歯が生え揃い，咀嚼運動がほぼ完成し，5歳頃には成人と同様に食物が処理できるようになります．咀嚼力向上のためには，ただ硬いものを選択するのではなく，食物繊維が多く含まれている噛みごたえのある食品を食事に取り入れましょう．食物を少し大きめに切り，よく咀嚼するように工夫することも効果的です．

　早食いのように咀嚼の習慣が身につかない背景には，食環境や生活環境も関連していることがあります．家族の食事ペースに合わせて急いで食べる，不規則な生活リズムによる食欲の低下，テレビを見ながらの「ながら食べ」などがよく噛まない習慣につながっています．よく噛むと美味しいということを伝えながら，家族で食事を楽しむ環境づくりが大切です．

参考文献
- 日本咀嚼学会（編）：咀嚼の本〜噛んで食べることの大切さ〜．口腔保健協会，2010
- 日本咀嚼学会（編）：咀嚼の本2〜ライフステージから考える咀嚼・栄養・健康〜．口腔保健協会，2017

（西村 瑠美）

7歳以上
(学童期)

栄養
7歳以上

Q130 子どものメタボリックシンドロームの診断はどのように行われますか？

A 2011年の厚生労働科学研究での「小児期のメタボリックシンドロームに対する効果的な介入方法に関する研究」による定義を用いて診断します．

関連質問 Q.106

Key word メタボリックシンドローム，肥満，生活習慣

解説

6歳以上の場合は，表に示した基準でメタボリックシンドロームと診断できますが，重要なことは診断することではなく解決することです．小学生以上で診断基準を満たす場合には，高い確率で成人肥満に移行します（肥満のtracking）．また小児では，その子だけではなく家族内にほかにも肥満と判定される人が存在する確率が高いことも特色です．子どもだけをターゲットにするのではなく，家族全体の栄養バランス，特に脂肪や炭水化物に偏った食事の補正を考えることが，家族全体の健康増進にも，メタボリックシンドロームの続発症状としての脂肪肝や高尿酸血症，2型糖尿病などの発症予防にもつながります．すぐに体重を減らすことを目標にするのではなく，睡眠を中心とした規則正しい生活習慣，短時間から始める運動習慣の樹立が解決への道になります．睡眠リズムの乱れから運動不足，肥満，そしてメタボリックシンドロームへという道筋も多いです．

表 小児のメタボリックシンドロームの診断基準

(1)があり，(2)(4)のうち2項目を満たす場合に診断する
(1) ウエスト周囲長 ≧ 80 cm
    ウエスト身長比（ウエスト周囲長(cm)/身長(cm)）≧ 0.5 であれば項目(1)に該当するとする．
    小学生ではウエスト周囲長 ≧ 75cmで項目(1)に該当するとする．ウエストは立位で臍周囲で測定する
(2) 血清脂質　TG（中性脂肪）≧ 120 mg/dL 以上
    かつ/またはないし HLD コレステロール値 < 40 mg/dL
    採血が食後2時間以降の場合：TG ≧ 150 mg/dL（ただし空腹時採血で確定）
(3) 血圧　収縮期血圧 ≧ 125 mmHg
    かつ/または
    拡張期血圧 ≧ 70 mmHg
    高血圧治療ガイドライン2002：小学生，中学生女子の正常高値血圧
(4) 空腹時血糖値 ≧ 100 mg/dL

（厚生労働科学研究循環疾患等生活習慣病対策総合研究事業：小児期のメタボリックシンドロームに対する効果的な介入方法に関する研究 総括・分担研究報告書．2011 より作成）

（平岩 幹男）

栄養
7歳以上

Q 131
「三角食べ」とは何ですか？

A
和食のご飯，汁物，おかずの順番に食べることを，順序の関係が三角形になることから「三角食べ」と表現します．学校給食では1970年代に積極的に教えていたことがあります．

関連質問 Q 130

Key word 和食，口内調味，学校給食

解説

　和食には一汁三菜という基本があります．定食やお膳料理としての皿数を表していますが，その上手な食べ方を，ご飯，汁物，おかずの順番に食べる順序の関係が三角形になることから「三角食べ」と表現しています．三角食べは「口内(口中)調味」ができるものとして推奨されています．「口内(口中)調味」とは，ご飯とおかずや漬け物，佃煮などを同時に口の中に入れる食べ方のことで，味を調整することや味の変化を感じることができます．味の濃いおかずにはご飯の量を増やすことでちょうどよい味を自然に組み合わせて食べることができる，日本食独特の食べ方です．

　学校給食では1970年代に食事のマナーとして一部の学校で積極的に教えていたことがあります．米飯給食が実施されるようになった1976年以降には献立に牛乳があり，ご飯を口に含ませたまま牛乳を飲まなければならないような強制が起こりました．

　「口内(口中)調味」は一口ずつ味を切り替えることで食事全体の味わいを楽しむというよい点もありますが，汁物や牛乳で噛まずに流し込む癖になりやすかったり，ご飯に合わせるために塩分の多いおかずになることから塩分摂取過多につながるとの指摘もあります．定食では，ご飯とおかずを順番にバランスよく食べることが大切です．多様化している食生活のなかでは，栄養バランスのとりやすい三角食べを改めて見直していきたいものです．しかし，強制指導することはないと考えます．

参考文献
・香川芳子：親子で学ぶ食卓の基本〜おとなのたしなみ．優しい食卓，2005

（太田　百合子）

栄養
7歳以上

Q132 夜更かしして朝食を食べないのですが，どのように改善したらよいですか？

A 早く寝る習慣が難しいので，「早起き・朝ごはん・早寝」と「早起き」を推奨します．食事内容は，簡単につくりやすくて食べやすい朝食にしましょう．大人も一緒に同じものを食べると食べたくなることが多いので，家族みんなで食べる習慣をつけていきます．

関連質問 Q.130

🔍 **Key word** 生活リズム，つくりやすく食べやすい，共食

 解説

　子どもが朝食を食べない理由には，食べる時間がない，食欲がない，食事が用意されていない，食べる習慣がないといったことがあげられていました．

　子どもは，寝ている間に下がった体温が上がり活動の準備が整うまで成人よりも時間がかかるので，朝食の30分前には起きていることが理想です．夜更かししている子を早く寝かすのは難しいので，「早寝・早起き・朝ごはん」よりは「早起き・朝ごはん・早寝」と，まずは15分でも「早起き」することから始めましょう．大人に合わせた夜型の生活習慣になっていると，夜食が習慣になり，肥満のリスクを高める可能性もあります．この場合は子どもと大人の時間を分け，まず子どもを早く寝かせて大人の時間をつくるようにするとよいでしょう．

　食事内容は，簡単につくりやすくて食べやすい朝食にします．初めはバナナやヨーグルトだけや，パンと牛乳というように食べる習慣をつけていきます．具だくさんの汁ものやおにぎりなどを前日につくり置きしたり，時間のあるときにお好み焼きなどをたくさん焼いて冷凍保存しておき，朝は電子レンジで温めても簡単にできます．保護者が内容を考えるのが大変そうなら，例えば，ご飯，みそ汁，卵料理というような定番のメニューにして，卵の調理法を日によって目玉焼き，オムレツなどに変えることも勧められます．また，大人も一緒に同じものを食べると子どもも食べたくなることが多いので，家族揃って食べる習慣をつけていきます．

📖 **参考文献**
・藤沢良知，他：げんきいっぱい！ いただきま〜す：幼児のための食育ガイド．家庭保健生活指導センター，2005

（太田 百合子）

栄養
7歳以上

Q.133
緑茶や紅茶もカフェインが含まれているので，控えたほうがよいですか？

A
子どものカフェインによる影響は，個人差があります．感受性の高い人に対しては不眠，頭痛などの影響をもたらします．緑茶，紅茶はコーヒーに比べるとカフェイン量は少ないですが過剰にとり過ぎないことです．

関連質問 Q.86　　Key word　カフェイン，症状，与え方

 解説

　カフェインは，コーヒー（液体100 g中約60 mg），紅茶（約30 mg），煎茶（約20 mg），玉露（約160 mg）のほか，チョコレートやココアのカカオ豆，コーラや栄養ドリンクなどの添加物として含まれます．わが国の場合は，食品からのカフェイン摂取のリスク評価をしていません．しかし，カナダの保健省では，12歳以下の子どもに対するカフェインの最大摂取量を2.5 mg/体重(kg)/日と定めています．

　子どものカフェイン摂取による影響は，個人差があります．寝る前に大量に摂取したり，毎日多量に摂取していなければ特に影響はないと考えますが，感受性の高い人に対しては，不眠症，頭痛，イライラ感，脱水症，緊張感を引き起こすことがあります．過剰摂取による中毒症状（吐き気，嘔吐，頭痛など）もあります．

　緑茶や紅茶は，渋味成分のタンニンがカフェインと結合するため，カフェインの効果が和らぎます．緑茶や紅茶を家族と一緒に飲むときは，薄めてあげればよいでしょう．

参考文献
- 東京都福祉保健局：東京都食品安全FAQ．(https://www.fukushihoken.metro.tokyo.lg.jp/kenkou/anzen/food_faq/index.html) 2022年8月24日閲覧．
- 文部科学省：日本食品標準成分表2020年版（八訂）

（太田　百合子）

アレルギー
7歳以上

Q.134
口腔アレルギー症候群とはどのような疾患ですか？治りますか？

A
口腔内瘙痒感や発赤など，口腔周囲に限局したアレルギー症状を認めるものを口腔アレルギー症候群とよびます．加熱した果物・野菜は無症状となります．豆乳でのアナフィラキシーの報告があります．花粉症の悪化とともに，年々原因果物の種類が増えることがあります．

関連質問 Q.48, 57

Key word 果物アレルギー，花粉症，豆乳

解説

口腔アレルギー症候群の原因は，花粉中の果物と類似のたんぱく質に感作されて，果物野菜に交差反応を示すようになるためです．代表例にシラカンバ花粉症に伴うバラ科果物，イネ科花粉症に伴うウリ科・キウイアレルギーがあります．食物アレルギー症状には図のように，アレルゲンが，①口腔粘膜で吸収されて起こる症状と，②腸で吸収されて全身に広がって起こる症状の，大きく2つがあります．口腔アレルギー症候群ではこのうち，①の機序のみが認められます．その理由は，花粉たんぱくと類似の果物たんぱくは，胃腸で消化・不活化されるため，腸で吸収されるときには既にアレルギー反応を起こさないたんぱく質に変化しています．そのため，①の症状のみで②の症状は出現しません．同じ原理で，加熱すると原因たんぱくが変性するため，加熱した場合は①②の両症状とも認めなくなります．逆に，豆乳を一気に飲んだ場合は，未消化のまま腸にたどり着いて吸収されるためか，豆乳によるアナフィラキシーが報告されています．

もともと花粉症が原因のため，花粉症の重症化に伴い年々症状をきたす果物野菜が増えていくことがありますので，患者には，事前に種類が増えていく可能性について伝えておきます．

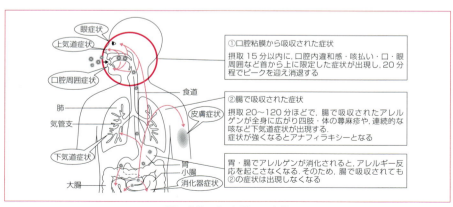

図 食物アレルギーの症状

（夏目 統）

アレルギー
7歳以上

Q135
甲殻類を除去するときの注意点と工夫は，何ですか？

A
甲殻類（エビ，カニ）や，それを原料とした練り製品などの食品を除去します．エビとカニはアレルギーの原因になるたんぱく質の構造が似ているため（交差抗原性），エビにアレルギーがあると半数以上がカニでも症状がでるといわれています．

関連質問 Q 55　　**Key word** 甲殻類，除去食

解説

甲殻類のアレルギーの原因たんぱく質は，イカやタコなどの軟体類，貝類とも交差抗原性があることがわかっていますが，甲殻類のアレルギーがあって，実際に軟体類や貝を食べて症状がでることはそれほど多くはありません．

容器包装されている加工食品には，エビ，カニの原材料名への表示が義務化されています．ただし，エビ，カニに関しては，網で無分別に捕獲したものをそのまま原材料として用いるため，特別に，「たんぱく加水分解物（魚介類）」「魚醤（魚介類）」「魚肉すり身（魚介類）」「魚油（魚介類）」「魚介エキス（魚介類）」に限っては，「魚介類」という表記が認められています．しらす干しや海苔などには，捕獲方法によって稚エビや稚ガニが混入することがあり，注意喚起表示として原材料名の欄外にその旨を記載することが認められています．漁場や漁法，時期によっても混入の割合は異なりますが，微量の摂取で重篤な症状がでる場合でなければ，大量でないため，目視で避けられる範囲で避ければ，食べても問題がないことが多いです．また，そのものを避けていれば，だしやこうした微量の摂取では問題がないことが確認できると，外食などでの管理がしやすくなります．

参考文献
- 厚生労働科学研究班（研究代表者 海老澤元宏）：食物アレルギーの栄養食事指導の手引き2017．2017
- 環境再生保全機構：ぜん息予防のためのよくわかる食物アレルギー対応ガイドブック2021改訂版．2021

（長谷川 実穂）

アレルギー
7歳以上

Q136 食物アレルギー児が学校の行事や宿泊旅行で気をつけることは何ですか？

A 「万一の場合」に備えて，「万全の準備」が必要であり，状況によっては行事を欠席したり旅行を中止する判断も必要になります．

関連質問 Q116

Key word 誤食防止，緊急時対応，心理的配慮

解説

　小学校高学年から修学旅行などでは，日頃の食事の場である家庭や学校を離れ，宿泊施設や自由時間での外食など，間違ってアレルゲンを摂取してしまうリスクが増加します．対策として，患者側と引率側の準備を徹底する必要があります．

　患者側の準備としては，食事の提供先がアレルギー対応食（代替食や除去食）を提供可能かどうか，教員を介しての確認が必要です．また，食事の形式にも留意する必要があります．バイキング形式のレストランはスプーンやトングなどが他の料理と共有される恐れがあるためアレルゲン混入のリスクがあります．新幹線などの移動中の食事では，アレルギー対応食が準備できないことも多く，弁当を持参するなどの工夫も必要です．航空会社によっては，提供可能なこともあるようですが，事前の確認が必要です．また，子ども同士のお菓子の交換や，自由時間の外食に関しては，予め取り決めをしておくとよいと思われます．緊急時薬として，アドレナリン注射液（エピペン®）などの保管場所を明確にし，症状誘発時の最寄りの受診先も確認しておく必要があります．

　引率側の準備として，全職員にアレルギーの情報を周知・共有することで誤食のリスクを減らします．宿泊先などから，事前にメニューの原材料表を入手し，患者自身や保護者と確認しておく必要もあります．指揮系統を明確にし，アレルギー症状誘発時対応のシミュレーションを徹底しておくことも大切です．

　旅行先の名産品や郷土料理などについても情報を得ておく必要があります．例えば，ピーナッツが隠し味として使われていたり，調理の過程で食材を小麦で洗浄している料理もあるようです[1]．蕎麦打ち体験や乳搾りなど，活動の内容にも注意が必要です．

　あまりに制限が多く，対応が難しい場合などは，行事自体を欠席する判断も必要です．その場合，児の心理的側面に十分配慮し，周囲からの孤立などがないようサポートしていくことも重要です．

文献
1) 尾辻健太(監修)，沖縄県文化観光スポーツ部観光振興課(発行)：食物アレルギーゆいまーるブック．沖縄県観光バリアフリーポータルサイト．2019；10（https://okibf.jp/pref/manual/）2022年5月26日閲覧

（松尾　嘉人，伊藤　浩明）

歯科
7歳以上

Q137 清涼飲料水の飲み過ぎはどのような影響がありますか？

A まず肥満に対する注意が必要です．清涼飲料水に含まれる異性化糖は中性脂肪の蓄積の原因となります．最近，米国では肥満予防のため，それまで無税であったオレンジジュースに間接税が付与されました．一方，清涼飲料水のほとんどは低pHのため，歯の脱灰（酸蝕症）に対する注意が必要です．

関連質問 Q.86

Key word 清涼飲料水，肥満，歯の脱灰，酸蝕症

解説

清涼飲料水を「コーラや果汁飲料（果汁100％未満）」，「100％果汁ジュース」，「野菜ジュース」に分けて生活習慣として飲用し，成人男女約3万人を対象に糖尿病の発症を確認した報告では，「コーラや果汁飲料（果汁100％未満）」の飲用量が多いほど，5年後の糖尿病の発症リスクが高くなることが確認されました[1]．

清涼飲料水に多く含まれるブドウ糖果糖液糖は異性化糖とよばれます．通常ブドウ糖は肝臓に一時的にとどめられますが，果糖はそのような調節機構が働かないため，大量に入ってくると一気に処理され，中性脂肪の生成，内臓脂肪の増加につながります．ブドウ糖の摂取もインスリンによって血糖値が一定に保たれますが，大量の摂取は肥満を起こします．

一方，世界で最も飲用されているオレンジジュースのpHは約3.3を示すなど，清涼飲料水のほとんどは低pHの液体です．リン酸カルシウムなどのミネラルの塊である歯のエナメル質は，常に口腔内唾液に浸っています．通常は唾液のpHは中性（6.5前後）ですので，唾液中に溶解できるミネラルの量は飽和状態となっています．ところが清涼飲料水で唾液が酸性になると，ミネラル溶解度が上昇し，唾液中のミネラル濃度は不飽和状態となります．その結果，エナメル質のミネラルが唾液中ミネラルの供給源となり，エナメル質から唾液中へのミネラルの移動が起こってしまいます（脱灰）．しかし，大量の唾液分泌で口腔内pHが中性に戻ると，唾液の溶解度も元の状態に下がり，今度は唾液中に溶解できなくなったミネラルが沈殿して歯石となったり，元のエナメル質に戻る現象（再石灰化）が起こります．清涼飲料水を頻回に飲み続け，唾液のpHが酸性のままの状態が長く続くと脱灰が有利となり，やがて歯の組織は再生不能となってしまいますので，唾液の分泌が特に少なくなる睡眠前に清涼飲料水を飲む習慣はやめさせましょう[2]．

文献

1) Eshak ES, Iso H, et al. : Soft drink, 100% fruit juice, and vegitable juice intakes and risk of diabetes mellitus. Clin Nutr 2013 : 32 : 300-308
2) 渡部 茂：唾液〜口腔の健康を支えるメカニズム．クロスメディア・パブリッシング，2022

（渡部 茂）

歯科
7歳以上

Q138 シーラントを使用した歯科処置はどのようなものですか？

A 乳歯，永久歯の咬合面の小窩裂溝は深く清掃が困難であること，また裂溝底部の石灰化度は低いため耐酸性が弱く，染み込んだ糖液により容易にう蝕が発生しやすくなります．これを防止するために，歯の萌出直後に歯科用セメントや樹脂で裂溝部を封鎖する処理を小窩裂溝填塞（フィッシャーシーラント）といいます．

関連質問 Q 105

Key word シーラント，小窩裂溝，初期う蝕

解説

エナメル質切片を観察すると，裂溝底部はクレバスのように深く（図1），食渣やプラークが浸透しやすい形態になっています．通常，歯は口腔に萌出すると唾液に覆われ，唾液中のミネラルを吸収して，しだいに耐酸性が強化されます．裂溝底部のエナメル質表面は，ほかの部位の表面より石灰化度は低く，酸に弱い傾向があります．したがって，視診ではほとんど健全と思える裂溝でもその底部より脱灰が始まり，気がついたときは大きなう蝕（むし歯）になっている場合があります．

シーラントのう蝕予防効果は高く，第一大臼歯では長期観察の報告で約90％の予防率が示されています[1]．図2は，第一大臼歯のシーラント後6か月の状態を示していますが，シーラントが一部脱落し，その部分の裂溝部に初期う蝕が確認されます．シーラントの材料は，グラスアイオノマー系とレジン系（樹脂）のセメントがあり，第一大臼歯の半萌出の時期には，咬合面を覆っている歯肉を切除し，グラスアイオノマー系セメントを充填します．一度充填しても永久的なものではないため，定期検診時に脱落していれば補充するなどチェックが必要です．

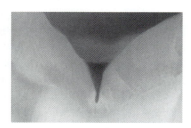

図1　小窩裂溝
（前田隆秀，他：小児の口腔科学 第3版．学建書院，2015；188）

図2　窩溝填塞（フィッシャーシーラント）
（渡部 茂，他：やさしく学べる子どもの歯，診断と治療社，2008；60）

文献

1) 小野義晃，他：簡易防湿下で行った幼若第一大臼歯に対する光硬化型グラスアイオノマーセメント小窩裂溝填塞の臨床成績．小児歯誌 2005；43：53-57

（渡部 茂）

歯　科
7歳以上

Q139 よく噛んで食べる習慣はどのようにしたらつきますか？

A 意識的に噛む回数を増やすことは難しいため，噛みごたえのある食品を用いたり，食材の調理方法を工夫することが大切です．献立のすべてを噛みごたえのあるものにするのではなく，食べることが苦痛にならないような配慮も必要です．

関連質問　Q 100

Key word　噛みごたえ，咀嚼回数

解説

学童期の食事には，適度に咀嚼を必要とする噛みごたえのある食品（表）[1]やよく噛まなければならない食材を選びましょう．また，食材の切り方や加熱方法などの工夫によっても，噛みごたえは変化します．例えば，カレーライスに，薄切り肉とさいの目切りにした野菜を用いた場合と，ぶつ切り肉と大きめの乱切りにした野菜を用いた場合とでは，噛みごたえに3倍の差がでるといわれています[2]．そのほかにも，しっかり煮込んだ野菜と生の野菜では，生の野菜のほうが噛む回数が多くなります．

加えて，濃い味の料理は，しっかり噛まなくても味がわかるので，無意識にあまり噛まずに飲み込んでしまいがちです．噛む力をつけ，味覚の発達を促すためにも，薄味を心掛けましょう．

さらに，食事中に水やお茶などの飲み物があると，食べ物をよく噛まずに流し込むことにつながりますので，食事中には飲み物をださないようにしましょう．

表　噛みごたえのある食品

食物繊維が多い	野菜(ごぼう，にんじん，セロリ，ほうれんそうなど)，海藻(昆布など)，きのこ(しいたけ，ぶなしめじなど)
筋繊維が固い	牛肉，豚肉など
水分が少ない	するめ，干しいも，ドライフルーツ，いわしの丸干し，フランスパンなど
弾力があるもの	こんにゃく，グミキャンディーなど

(新井映子，他：咀嚼の本2〜ライフステージから考える咀嚼・栄養・健康〜．日本咀嚼学会(編)，口腔保健協会，2017；25 より一部改変)

文献

1) 新井映子，他：咀嚼の本2〜ライフステージから考える咀嚼・栄養・健康〜．日本咀嚼学会(編)，口腔保健協会，2017；24-33
2) 柳沢幸江，他：そしゃくで健康づくり　育てようかむ力．少年写真新聞社，2004；23-25

（三分一　恵里）

歯科
7歳以上

Q140 クチャクチャ音を立てて食べたり，食べこぼしが気になります．どうしたらよいですか？

A クチャクチャ音を立てて食べたり，食べこぼしがある場合は，呼吸，姿勢，食べ方に問題があるかもしれません．問題点をみつけ，適した対応を行うことが望ましいでしょう．

関連質問 Q.128　　　Key word　口呼吸，食事の姿勢

解説

　口呼吸が習慣になっていると，食べ物を噛むときに鼻呼吸ができず，食べ物の咀嚼や嚥下と呼吸がうまく協調しないため，唇を開けながらクチャクチャと音を立てて食べる原因につながります．口呼吸の原因が鼻咽頭疾患ではなく習慣的な場合，鼻呼吸が大切であることを少しずつ認識させていき，鼻呼吸の持続時間を増やしていきます[1]．

　また，学童期は歯の生え変わりの時期であり，口の中の変化が著しいときです．乳歯の動揺や脱落による痛みや違和感により，噛み方や食べ方が乱れる場合があります．生え変わりによる変化は一時的であるため，噛みやすいよう調理法や献立を工夫するなどして対応することが望ましいでしょう．小学校中〜高学年には，側方歯（犬歯や小臼歯）が生え変わり，食べ物を横方向にすりつぶす動きを伴う噛み方に移行します[2]．このとき，噛み合わせに問題があるとすりつぶす動きがうまくできず，クチャクチャとした食べ方につながることがあります．定期的に歯科医院を受診し，噛み合わせの問題を早期に発見することも大切です[2]．

　その他にも，唇を閉じる力が不十分であったり，飲み込むときに舌を前にだす癖がある場合には，食べこぼしが起こりやすくなります．上下の唇を閉じて食事をするよう声掛けをし，必要に応じて，唇を閉じる訓練や，舌を持ち上げる訓練などを行いましょう．

　また，食事の際の姿勢も重要であり，足が安定しないと，唇を閉じる力や，噛む力が低下することがわかっています[1]．足が床面に届かない場合は，足置きをつくるなどして正しい姿勢が保てるようにしましょう．

文献

1) 佐藤香織：Q&Aで解決！ライフステージからみた口腔機能．大野粛英，他（編），ライフステージに合わせた口腔機能への対応　MFTアップデート．医歯薬出版，2019；96-97
2) 新井映子，他：咀嚼の本2〜ライフステージから考える咀嚼・栄養・健康〜．日本咀嚼学会（編），口腔保健協会，2017；28-31

（三分一　恵里）

全年齢

アレルギー
全年齢

Q.141 食物アレルギーとはどのような病気ですか？なぜ起こるのですか？

A 食物アレルギーの多くはIgE抗体を介した即時型アレルギー反応です．原因食物を摂取後，約2時間以内に蕁麻疹や咳などが出現し，1～2時間で消退していきます．原因として近年，炎症のある皮膚からの経皮感作が重要と考えられています．

関連質問 Q.23

🔍 **Key word** 即時型アレルギー反応，経皮感作，IgE抗体

解説

食物アレルギーとは，特定の食物により誘発されるアレルギー反応のことを指します．多くは免疫グロブリン(Ig)E抗体を介した即時型アレルギー反応（Ⅰ型アレルギー反応）ですが，新生児・乳児食物蛋白胃腸症（消化管アレルギー）などは，即時型アレルギー反応とは違うメカニズムであると考えられています（Q23参照）．ここでは即時型アレルギー反応について記載します．

症状の90％以上は原因食物の摂取後2時間以内に出現します．皮膚症状として蕁麻疹，呼吸器症状として咳・喘鳴，消化器症状として嘔吐・下痢，循環器症状として血圧低下などがあります．アナフィラキシーの定義を簡易化すると，各臓器の「強い症状」が2臓器以上で出現したものに，「アナフィラキシーガイドライン2022」から皮膚症状を伴わない，血圧低下や気管支攣縮，喉頭症状が発症した場合が含まれました．

また，アレルゲンが，①口腔粘膜で吸収されてでる症状と，②腸で吸収されて全身に広がってでる症状と，2通りに大別されます（Q134図参照）．口腔粘膜で吸収されてでる症状は，摂取後すぐに出現しますが，重症度とは関連がなく15分後をピークに60分ほどで消失します．一方，腸で吸収されてアレルゲンが全身に広がった際に重症の場合はアナフィラキシーとなります．

即時型アレルギー反応が起こるには，IgE抗体が産生される（感作される）必要があります．近年，感作のメカニズムとして，経皮感作が重要であると考えられています．炎症のある皮膚（アトピー性皮膚炎など）にホコリ中の食物たんぱくがつくと，IgE抗体が産生されると考えられています．経皮感作が実証された例として，2013年頃にわが国で社会問題となった加水分解小麦含有石鹸による小麦アレルギーがあげられます．これは洗顔石鹸中に含まれていた加水分解小麦たんぱくを日々使用することで，顔の皮膚や粘膜より感作を受け，それまで普通に小麦を摂取していた成人が，小麦アレルギーを発症したという事例でした．

📖 参考文献

・日本アレルギー学会（監），Anaphylaxis対策委員会（編）：アナフィラキシーガイドライン2022．日本アレルギー学会，2022

（夏目 統）

アレルギー
全年齢

Q142 食物アレルギーが悪化したり，ほかの疾患を誘発する要因はありますか？

A 乾燥しやすい体質をきたすフィラグリン遺伝子異常は，アトピー性皮膚炎の有力な遺伝子で，食物アレルギーも発症しやすくなります．しかし，遺伝だけでなく，さまざまな因子（細菌などの微生物，喫煙，葉酸，肥満，ストレスなど）によってもアレルギー疾患を発症しやすくなる可能性が示されています．

関連質問 Q143　　**Key word**　フィラグリン遺伝子変異，エピジェネティクス

解説

　フィラグリン（FLG）遺伝子はアトピー性皮膚炎の最も有力な候補遺伝子です．フィラグリンは皮膚バリア機能を担っており，遺伝子変異により乾燥しやすくなり，その後のアレルギー疾患のリスクファクターともなります[1]．しかし，DNA配列がまったく同じである一卵性双生児でもアレルギー疾患を同様に発症するとは限りませんし，近年のアレルギー疾患の増加をDNA配列のみでは説明できません．

　そこで最近注目されているのが，DNA配列だけによらない，環境により影響される遺伝の仕組みであるエピジェネティクスです．ある環境に長期にさらされると，同じDNA配列であってもメチル化（DNAの一部にメチル基がつく反応．「DNAが服を着て少し見た目が変わる」と例えられる）が起こることでDNAの状態が変化することが知られています[2]．その環境因子として，細菌などの微生物，喫煙，葉酸・ビタミンB_{12}・魚油といった食物因子，肥満，ストレスなどがあります[3]．例えば，昔ながらの農作業や農場での殺菌されていない乳の摂取（細菌にさらされる）がメチル化の低減に働いたり，葉酸の過剰摂取が過剰なメチル化をきたしたり，妊娠中の魚油の摂取が湿疹のリスクを低下させる可能性があります．ただし，葉酸摂取を制限することは二分脊椎など神経管閉鎖障害を増加させる可能性がありますし，妊娠中の魚油の摂取が有意に湿疹を減らしたとまでは結論できていません．とはいえ，エピジェネティクスについての研究は今後さらに発展し，さまざまな知見をもたらしてくれるでしょう．

文献
1) Irvine AD, et al.：Filaggrin mutations associated with skin and allergic diseases. N Engl J Med 2011；365：1315-1327
2) 太田邦史：エピゲノムと生命 DNAだけでない「遺伝」のしくみ．講談社，2013
3) Harb H, et al.：Update on epigenetics in allergic disease. J Allergy Clin Immunol 2015；135：15-24

（堀向　健太）

アレルギー
全年齢

Q143

食物アレルギーになると，喘息やアトピーなどほかのアレルギーにもなりやすいですか？

A

乳児期に発症したアトピー性皮膚炎（atopic dermatitis：AD）は，その後食物アレルギー（food allergy：FA）の発症リスクを上げることは広く知られていますが，多種の食物アレルゲンに感作されると，吸入アレルゲンに感作されやすくなることも示されており，アレルギー体質になることにより，食物アレルギー以外のアレルギー疾患の発症リスクも高くなるようです．

関連質問 Q.142

Key word 食物アレルゲン，感作

解説

ADの重症度に応じ，その後の気管支喘息やアレルギー性鼻炎の発症リスクが上がることが報告されています．ドイツで実施された前向きコホート研究では，3歳前に吸入アレルゲンに感作された子どもは，その後気管支喘息の発症や肺機能低下のリスクが増加することが示されています[1]．別の報告では，ダニに感作されているとライノウイルス感染時に気管支喘息の発症リスクが高くなり，さらには喘息発作それ自体がダニに対する感作をさらに亢進させることも明らかになっています．

逆に，複数の食物アレルゲンに感作されていると，吸入アレルゲンにも感作されやすい可能性も報告されています．例えば乳児期早期に発症したAD児229人に対する検討では，乳幼児期早期に複数の食物アレルゲンに感作されていると，6歳時に吸入アレルゲンに対する感作を発症するリスクが4倍近く高いと報告されています（オッズ比3.72［1.68-8.30］；p<0.001）[2]．

米国で行われたMPAACHコホート研究に参加したADのある1〜2歳児400人に対し，フィラグリン・経皮水分蒸散量（TEWL）・S100A8/S100A9発現と，AD重症度との関連を評価した報告があります．ピーナッツ，卵，ネコ，イヌに対するアレルゲンに感作されていると，よりAD重症度が高く皮膚バリア機能の低下と関連したという結果が得られています[3]．

すなわち，ADから経皮感作を通して他のアレルギー疾患をというルートだけでなく，他のルートも少なからずあるということも明らかになっていて，感作そのものが感作を呼ぶ可能性があるといえます．

文献

1) Lau S, et al. : Allergy and atopy from infancy to adulthood : Messages from the German birth cohort MAS. Ann Allergy Asthma Immunol 2019 ; 122 : 25-32
2) Just J, et al. : Natural history of allergic sensitization in infants with early-onset atopic dermatitis : results from ORCA Study. Pediatr Allergy Immunol 2014 ; 25 : 668-673
3) Sherenian MG, et al. : Sensitization to peanut, egg or pets is associated with skin barrier dysfunction in children with atopic dermatitis. Clin Exp Allergy 2021 ; 51 : 666-673

（堀向 健太）

アレルギー
全年齢

Q144 アレルギーに気をつける食物は，月齢や年齢によって変わりますか？

A 新生児・乳児食物蛋白誘発胃腸症，食物依存性運動誘発アナフィラキシー，花粉-食物アレルギー症候群など，年齢ごとに特徴のある食物アレルギーがあります．即時型アレルギーを起こす食物も年齢により頻度が変化します．

関連質問 Q 23, 152

Key word 新生児・乳児食物蛋白誘発胃腸症，食物依存性運動誘発アナフィラキシー，口腔アレルギー症候群

解説

　月齢，年齢により特徴的な食物アレルギーがあります[1]．新生児期には新生児・乳児食物蛋白誘発胃腸症（新生児期・乳児期に食物抗原が原因で消化器症状を認める疾患の総称）を発症する場合があります．多くは乳児期にミルクまたは母乳を開始した後に発症しますが，最近は，卵黄による報告が急増しています[2]．

　乳児期は，食物アレルギーの関与する乳児アトピー性皮膚炎の頻度が高いとされ，卵，乳，小麦の順に多いと報告されています．除去食によって改善を認める場合がありますが，感作〔血液検査で免疫グロブリン（Ig）E抗体価陽性〕のみで診断をつけるべきではなく，除去食は必要最小限にするべきです．

　年齢が進むに従い即時型反応が中心となります．その中でも最近注目されているのが，ナッツ類アレルギーの増加です[3]．そしてナッツ類のなかでもクルミが多く半数を占め，アナフィラキシーショック症状をきたしやすいことがわかっています（図）．

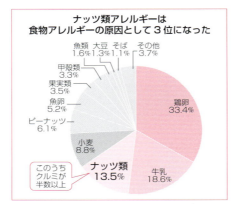

図　食物アレルギーの原因となる食品

（消費者庁：令和3年度食物アレルギーに関連する食品表示に関する調査研究事業報告書．2022 より著者作成）

アレルギー
全年齢

表 年齢ごとに多い食物アレルギーの臨床型と，頻度の高い原因食物

臨床型	発症年齢	頻度の高い原因食物
食物アレルギーの関与する乳児アトピー性皮膚炎	乳児期	鶏卵・牛乳・小麦など
即時型症状 （蕁麻疹，アナフィラキシーなど）	乳児期～成人期	乳児期～幼児期 鶏卵・牛乳・小麦・ピーナッツ・ナッツ類・魚卵 学童～成人 甲殻類・魚類・小麦・果物類・ナッツ類など
食物依存性運動誘発アナフィラキシー（FDEIA）	学童期～成人期	小麦・エビ・果物など
口腔アレルギー症候群（OAS）	幼児期～成人期	果物・野菜・大豆など

（厚生労働科学研究班（研究代表者 海老澤元宏）：食物アレルギーの診療の手引き 2020．より引用・改変）

　中高校生に多いとされる食物依存性運動誘発アナフィラキシー（food-dependent exercise-induced anaphylaxis：FDEIA）は，特定の食物を摂取した後に運動をすると症状が出現する疾患であり，小麦や甲殻類によるものが多いですが，ソバ・魚・果物などでも起こることがあります．花粉-食物アレルギー症候群は一般に幼児期以降に花粉に感作されて発症し，果物・野菜が多い原因食物です．

　簡単に**表**にして示します．

文献

1) 厚生労働科学研究班（研究代表者 海老澤元宏）：食物アレルギーの診療の手引き 2020．（https://www.foodallergy.jp/wp-content/themes/foodallergy/pdf/manual2020.pdf）2022年6月18日閲覧
2) Akashi M，et al．：Recent dramatic increase in patients with food protein-induced enterocolitis syndrome （FPIES） provoked by hen's egg in Japan．J Allergy Clin Immunol Pract 2022；10：1110-1112．e2．
3) 消費者庁：令和3年度 食物アレルギーに関連する食品表示に関する調査研究事業報告書．2022（https://www.caa.go.jp/notice/entry/029032/）2022年6月18日閲覧

（堀向　健太）

アレルギー
全年齢

Q145 食物アレルギーは最終的に治りますか？ 体質は家族に遺伝しますか？

A 食物アレルギーは自然にもしくは治療で寛解する場合もありますが，皮膚バリア障害や食物除去により再燃する可能性があります．また，一部の食物アレルギーは皮膚バリア機能が低い素因をもつ人に発症しやすいようです．

関連質問 Q.141, 142

Key word 経皮感作，経口免疫寛容，フィラグリン遺伝子変異

解説

卵や乳などのアレルギーが，年齢を長じるに従い徐々に改善してくる現象があり，摂取可能となり特に症状がないのであれば「治った」といって差し支えないでしょう．

問題は，年齢が長じるまで食物アレルギーを持ち越してしまった場合です．食物アレルギーの発症と改善のメカニズムに関し，経皮感作と経口免疫寛容という概念に注目が集まっています．経皮感作とは，皮膚バリアが低下した皮膚にたんぱく質が接触するとアレルギーが悪化するという概念で，経口免疫寛容とは，たんぱく質を摂取し消化管にさらすと，そのたんぱく質を受け入れる方向に働くという考え方です．

例えば，手湿疹の症状がある人が魚を扱った仕事を継続すると，魚アレルギーを発症しやすくなるという報告[1]，それまで摂取できていた食物を除去するとアレルギー症状を発症するようになったといった報告もあります．

そして皮膚のバリア機能を担う主要なたんぱく質であるフィラグリンに異常があると，食物アレルギーを発症しやすく，さらに乳幼児期のアトピー性皮膚炎そのものが，その後の食物アレルゲン感作に強く影響するという報告もあります[2]．

生後4～11か月の乳児計321人に対する検討があります．すると，家族のピーナッツアレルギーの既往以上に，本人のアトピー性皮膚炎の既往のほうが，本人のピーナッツアレルギー発症に強く関係したとされています[3]．遺伝的な素因が子どもの食物アレルギーの発症リスクを上昇させる可能性もあるものの，それよりも本人の皮膚の炎症が食物アレルギーの発症しやすさに大きく関与するようです．

文献

1) Sano A, et al. : Two cases of occupational contact urticaria caused by percutaneous sensitization to parvalbumin. Case reports in dermatology 2015；7：227-232
2) Johansson EK, et al. : IgE sensitization in relation to preschool eczema and filaggrin mutation. J Allergy Clin Immunol 2017；140：1572-1579. e5.
3) Keet C, et al. : Age and eczema severity, but not family history, are major risk factors for peanut allergy in infancy. J Allergy Clin Immunol 2021；147：984-991. e5.

（堀向 健太）

アレルギー
全年齢

Q146 アレルギー専門医はどのように探せばよいですか？ 受診時の注意点はありますか？

A 日本アレルギー学会では国内のアレルギー専門医とその勤務施設を公開しています．初めて受診する際には紹介状や過去の検査結果を持参するとともに，これまでの経過や質問したい事項をまとめておくとよいでしょう．

関連質問 Q147

Key word アレルギー専門医，日本アレルギー学会

解説

「アレルギー科」を標榜している医療機関は多数ありますが，そのすべてに日本アレルギー学会の認定しているアレルギー専門医がいるとは限りません．アレルギー専門医は学会のウェブサイト（http://www.jsaweb.jp/）で公開されており，小児科，皮膚科などの専門分野，勤務施設の都道府県などで検索することが可能です．

アレルギー疾患を診断したり治療方針を立てたりするのに，詳細な症状歴は不可欠です．このため，初診時は問診に多くの診療時間を費やします．いつ何を契機に，どのような症状が出現したのか，またその症状は繰り返し起こったのか，といったことをまとめておき，過去に受けた検査結果と一緒に受診時に持参すると効率的な診察が受けられます（表）．また専門医に尋ねたい事項も予めメモして持参することをお勧めします．メモは紙に記載する以外にスマホに入力しておくのもよいでしょう．

表　受診時に持参する症状歴の例（食物アレルギーの場合）

いつ	生後8か月
何を契機に	初めてクッキー1枚を食べて
どのような症状か	食べて5分後に首回りと太ももに蕁麻疹がでた
繰り返したか	生後10か月のときにカステラを1口食べて同じ症状がでた
その他	ヨーグルトやチーズなどの乳製品，うどんなどの小麦製品は食べても症状はでない

（二村　昌樹）

アレルギー
全年齢

Q 147
アレルギーの原因食物の確定にはどのような検査をしますか？結果はすぐにわかりますか？

A
血液検査や皮膚テストなどで疑われた原因食物の確定診断には，食物経口負荷試験が行われます．これは疑わしい食物を実際に食べてみて症状がでるかを調べる検査です．症状は食べた直後に出現する場合もあれば，翌日になってから現れることもあります．

関連質問 Q 146　　**Key word**　確定診断，食物経口負荷試験

解説

特異的免疫グロブリン（Ig）E抗体価や皮膚テストだけでは食物アレルギーの確定診断はできません．確定診断のためには食物経口負荷試験（oral food challenge test：OFC，以下，負荷試験）が必要です．ただし，直前に摂取歴があり重篤な症状があった場合や，負荷試験でアナフィラキシーが起こる可能性が非常に高いと考えられる場合には，その時点での負荷試験を回避することもあります．

負荷試験はアナフィラキシーなどに備えて，経験を積んだ専門の医師が緊急対応のできる施設で行います．まず，予め定めた量の食物を摂取（負荷）し，症状の有無を確認します．さらに時間を区切って次の量を摂取し観察します．このように増量して目標量まで負荷を進めます．途中で症状が出現した場合は陽性と判断し，負荷試験終了となります．陽性の場合は摂取後30分以内に症状が出現することが多いため，負荷試験当日に結果を判定することが可能です．しかし数時間経過してから症状がでる場合もあるため，翌日になってから陽性と判定されることもあります．

参考文献
- 海老澤元宏，他（監修），日本小児アレルギー学会食物アレルギー委員会（作成）：食物アレルギー診療ガイドライン2021，協和企画，2021

（二村　昌樹）

アレルギー
全年齢

Q148
食物アレルギーの治療にはどのような薬を使用しますか？抗アレルギー薬は有効ですか？

A
食物アレルギーそのものを治す薬はありません．長期的に抗アレルギー薬を服用しても食物アレルギーが早く治るわけではありません．誤食などで症状が出現したときには抗アレルギー薬やアドレナリン注射液を使用して，症状を改善させます．

関連質問 Q.149, 157

Key word 抗アレルギー薬，アドレナリン

解説

食物アレルギーの治療では必要最小限の除去をしながら，自然寛解を待ちます．食物アレルギーの治療目的で，抗アレルギー薬の長期的内服による効果を十分裏づけるような研究結果はありません．抗アレルギー薬の服用によって，湿疹などの合併症によるかゆみなどは一時的に改善しますが，食物アレルギーの治療にはなりません．

誤食などによって症状が出現した際には，頓用で抗アレルギー薬やアドレナリン注射液が使用されます．抗アレルギー薬はヒスタミン作用の強いものや脳内移行率の低いものなど，さまざまあります．どの抗アレルギー薬を選択するかについては，処方する医師の経験によるところが多いのが現状です．通常は抗ヒスタミン効果を期待して投与されるため，抗ロイコトリエン受容体拮抗薬は選択されません．アナフィラキシー症状がみられる場合には，アドレナリン注射液が使用されます．投与方法は，血中最大濃度と上昇速度を考慮して筋肉注射が強く勧められています（図）[1]．

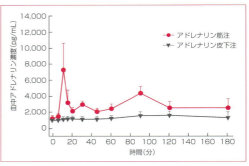

図 アドレナリン筋肉注射と皮下注射による血中濃度の違い

(Simons FE, et al.：Epinephrine absorption in adults：intramuscular versus subcutaneous injection. J Allergy Clin Immunol 2001；108：871-873 より作成)

引用・参考文献
1) Simons FE, et al.：Epinephrine absorption in adults：intramuscular versus subcutaneous injection. J Allergy Clin Immunol 2001；108：871-873

（二村　昌樹）

アレルギー
全年齢

Q.149
食物アレルギー児が普段注意する薬はありますか？また，予防接種は受けられますか？

A
重症者は，卵アレルギーではリゾチーム含有製剤に，牛乳アレルギーでは整腸剤・止瀉薬・フルタイドディスカス®，シムビコート®，リレンザ®，イナビル®などに気をつけましょう．予防接種は卵・牛乳アレルギーであっても接種可能です．

関連質問 Q.148

Key word 卵アレルギー，予防接種，牛乳アレルギー，整腸剤

解説

鶏卵アレルギーでは，「リゾチーム」含有製剤・製品に注意が必要です．2021年に卵白リゾチーム含有のスプレーによる即時型アレルギー反応の報告もありました．牛乳アレルギーでは，「タンニン酸アルブミン」含有薬（止瀉薬など），乳酸菌製剤（整腸剤など），「カゼイン」含有薬〔ミルマグ®（水酸化マグネシウム），経腸栄養剤など〕に注意が必要です．その他，乳糖は散剤の調合に用いられたり，注射製剤のソル・メドロール®静注用40 mg（メチルプレドニゾロン），吸入薬のイナビル®（ラニナミビル），リレンザ®（ザナミビル），フルタイドディスカス®（フルカチゾン）などに用いられ，極微量の乳たんぱくが含有されています．その他，市販薬のなかでも総合感冒薬や整腸剤にも含まれている場合があります．上記薬剤（経腸栄養剤を除く）は，鶏卵や牛乳をある程度摂取できる場合は服用可能です．ただし，明確な基準は報告されておらず，重症アレルギー患者は実際に上記薬剤を服用して症状が出現することがあるので注意が必要です．

予防接種と食物アレルギーに関しては，①ゼラチンアレルギー，②卵・牛乳アレルギーと麻疹風疹ワクチン，③卵アレルギーとインフルエンザワクチンについて説明します．①は，10年以上前に全予防接種薬からゼラチンが除去されたため，現在はまったく問題ありません．②の麻疹風疹ワクチンは，製造に「鶏胚細胞」が用いられていますが，これは鶏卵とは関係なく，卵白成分は含有されていません．乳糖は極微量含まれていますが，乳糖に含まれる乳たんぱくはさらに微量のため，卵・牛乳アレルギーの児であっても接種可能です．③については，製造過程でインフルエンザウイルスの増殖に鶏卵を用います．そのため，インフルエンザワクチンには鶏卵たんぱくが極微量含まれています．ただし，食べる茹で卵白1 g中に含まれる卵たんぱくが20～30 mg/gなのに対して，日本製インフルエンザワクチンには1～10 ng/L/回接種しか含有されておらず，WHOが推奨している卵たんぱく質＜600 ng/L回接種と比べても100分の1程度です．そのため，卵アレルギーでも接種可能です．2019年から米国小児科学会は，インフルエンザワクチン接種時の鶏卵アレルギー既往の問診も不要としています．

参考文献
・医薬品医療機器総合機構（PMDA）．(http://www.pmda.go.jp)

（夏目 統）

アレルギー
全年齢

Q.150
アレルギー除去食にすると食べられるものが少なくなってしまいますが，どのように栄養バランスをとればよいですか？

A
主治医から決定された禁止食品のみを対象に除去を行います．除去食品に代わる食品（代替食品）で献立を作成していきます．その際，それぞれの成長段階に応じた栄養バランスを考慮し，作成します．季節感や好みも取り入れ，料理のバリエーションは飽きがこないように組み合わせます．

関連質問 Q 89, 90, 91

Key word 栄養バランス，除去食，目安量

解説

各年齢に応じた目安量をもとに，1日の献立を考えていきます．除去食品が多い場合には，栄養の偏りがないかを定期的に確認することが大切です．各年齢に応じた1日の目安量は下記の文献[1-3]を参考に検索して参考にしてみましょう．

① 除去しなくてはいけない食品を明らかにすることで，使用できる食品の幅を広げることができます．
② 日常で使用する食品は原材料だけでなく，加工品も含めると多岐にわたります．主治医の指示のもと，管理栄養士と相談しながら正しい除去を進めていく必要があります．
③ 除去を自己流で進めると，料理のレパートリーが限られ，ワンパターンの食事になりがちで飽きてしまい，食欲低下や栄養バランスが偏ることも考えられます．
④ 食べさせてみたい食品や加工品は，工夫次第で増やすことが可能になります．各ご家庭に合った無理なく継続できる食事を定期的に医師，管理栄養士と話し合っていきましょう．
⑤ 毎日の食材は家族と分けるのではなく，可能な範囲で同じ食材を用いて料理してみましょう．家族と同じ料理を食べられることは，お子様にとって興味深く摂取量が増える機会や食べる喜びにつながることがあります．

文献
1) 厚生労働省，農林水産省：食事バランスガイド．2005
2) 東京都福祉保健局：東京都幼児向け食事バランスガイド．2006
3) 厚生労働省：授乳・離乳の支援ガイド（2019年改定版）．2019

（中野　美樹）

アレルギー
全年齢

Q151

アナフィラキシーの症状はどのような様子でしょうか？ 応急処置は何をすればよいでしょうか？ アドレナリン注射液（エピペン®）は誰が使用してもよいのでしょうか？

A

アナフィラキシーは皮膚症状のほかに，呼吸器，循環器，持続する消化器症状など複数のアレルギー症状が出現した状態です．その際には，予め処方されているエピペン®を使用します．使用方法を熟知していれば本人や保護者以外でも使用できます．

関連質問 Q 157

🔎 Key word アナフィラキシー，エピペン®

解説

アナフィラキシーは「アレルゲンなどの侵入により，複数臓器に全身性にアレルギー症状が惹起され，生命に危機を与えうる過敏反応」と定義されています．アナフィラキシー時にはアドレナリン筋肉注射が治療の第1選択となります．医療機関外での応急処置目的でアナフィラキシーを起こす可能性が高い患者にエピペン®が処方されます．この内容を患者家族などの非医療者が判断することは難しいため，日本小児アレルギー学会では一般向けに表のようなエピペン®の使用基準を提示しています．

エピペン®の使用方法は，処方の際に本人や養育者に説明されています．最近では研修会などを通じて，学校や園の教職員も使用方法を習得しています．正しく使用できるのであれば，緊急時に使用する人に制限はありません．エピペン®処方の際には，予め学校や園と緊急時の対応について相談するよう指導をします．またエピペン®には有効期限があるため期限前かどうかをチェックします．

表　一般向けエピペン®の適応

エピペン®が処方されている患者でアナフィラキシーショックを疑う場合，下記の症状が1つでもあれば使用すべきである．

消化器の症状	・繰り返し吐き続ける	・持続する強い（がまんできない）おなかの痛み	
呼吸器の症状	・のどや胸が締め付けられる ・持続する強い咳込み	・声がかすれる ・ゼーゼーする呼吸	・犬が吠えるような咳 ・息がしにくい
全身の症状	・唇や爪が青白い ・意識がもうろうとしている	・脈が触れにくい，不規則 ・ぐったりしている	・尿や便を漏らす

（日本小児アレルギー学会：一般向けエピペン®の適応．〈https://www.jspaci.jp/gcontents/epipen/〉）

📖 参考文献

- 日本アレルギー学会（監修），Anaphylaxis対策特別委員会（編）：アナフィラキシーガイドライン．日本アレルギー学会，2014

（二村　昌樹）

アレルギー
全年齢

Q152
食物依存性運動誘発アナフィラキシーはどのような症状ですか？ほかのアナフィラキシー症状と違いはありますか？

A
症状は皮膚・消化器・呼吸器症状など，通常の食物アレルギーと同じです．ただし，食物摂取＋運動によってのみ症状が出現する点や，原因食物の頻度，好発年齢などが，通常の食物アレルギーと異なります．

関連質問 Q141　　　**Key word** 運動，アナフィラキシー

解説

　食物アレルギーの特殊型のなかに食物依存性運動誘発アナフィラキシー（food-dependent exercise-induced anaphylaxis：FDEIA）が分類されています．特殊型に分類される理由として，通常の食物アレルギーと異なる点がいくつかあげられます．

　①原因食品：多いのは，小麦，甲殻類，果物類の順と報告されています．ただ，近年果物が原因とする報告が多いです．

　②好発初発年齢：鶏卵や牛乳，小麦アレルギーが1歳前後なのに対して，FDEIAは中高生〜青年期です．

　③症状出現の状況：通常の食物アレルギーは食物摂取のみで症状が誘発されるのに対して，原因食物摂取のみや，運動のみでは症状は誘発されず，食物摂取＋運動の2つが揃うことで症状が誘発されます．出現する症状は，通常の食物アレルギーと同じですが，FDEIAでは運動終了後に症状が急速に拡大しやすい傾向があります．

　④新たな食品で症状が出現する：FDEIA発症までは原因食物を問題なく摂取していたにもかかわらず，発症後はアナフィラキシーが頻回に誘発されるようになります．発症する原因は解明されておらず，その糸口の1つとして，2013年頃に加水分解小麦含有化粧石鹸を使用していた人が小麦のFDEIAを発症したことが報告され，経皮・経粘膜感作が原因となりうることが判明しました（Q141参照）．ただし，原因の全体像はまだ不明な点が多い状況です．近年報告の多い果物は，GRP（Gibberellin-regulated protein）が原因ではないかと考えられており，感作の原因はスギ，ヒノキ花粉ではないかと報告されています．バラ科果物，柑橘類，ブドウ，ザクロなどで症状が誘発されるため，原因食品が一見ばらばらのことがあるため問診時は注意が必要です．

　また，運動に加えて，誘発因子として解熱鎮痛剤（非ステロイド性抗炎症薬：NSAIDs），入浴，体調不良，アルコール，月経（女性ホルモン）などが報告されています．

（夏目 統）

アレルギー
全年齢

Q153
アトピー性皮膚炎の皮膚病変と，食物アレルギーで生じる皮膚病変は違いますか？

A
アトピー性皮膚炎の皮膚病変はかゆみを伴う皮疹で慢性的な経過をたどりますが，食物アレルギーで生じる皮膚病変は蕁麻疹のような急性の経過をたどるのが基本です．ただし，乳児期にはアトピー性皮膚炎のような湿疹病変が生じることもあるといわれていますが，まずステロイド外用薬で治療し皮膚病変をなくしてから，除去試験や負荷試験で確かめないとわからないことがあります．

関連質問 Q.52

Key word アトピー性皮膚炎，食物アレルギー

解説

アトピー性皮膚炎の乳幼児患者の採血をして食物抗原の特異的免疫グロブリン（Ig）E抗体価を調べると，何らかの食物抗原に陽性反応を示す場合が多いことから，乳幼児のアトピー性皮膚炎の原因が食物ではないかという考えが生まれました．特に乳児では，その食物を食べてもアナフィラキシーのような危険な症状を起こすことなく，湿疹だけが悪化するケースがあるため，乳児の食物アレルギーはアトピー性皮膚炎の湿疹症状でみつかる，というような考え方が広まりました．しかし，最近の研究では，湿疹や乾燥肌があると皮膚のバリアが低下しており，そこから進入した食物抗原が免疫細胞に捉えられて異物と認識されて特異的IgE抗体をつくるメカニズムが働きだすことがわかってきました．つまり，アトピー性皮膚炎の患者の採血をすると食物抗原に対するIgE抗体価が陽性を示すのは，それがアトピー性皮膚炎の皮膚病変の原因を意味するのではなく，湿疹があることによる結果だということです．特異的IgE抗体が陽性になると，閾値を超える量の抗原を取り入れれば身体が反応しますので，陽性の食物をたくさん食べると湿疹が悪化するかもしれませんし，蕁麻疹やアナフィラキシーを起こす可能性も否定できません．

湿疹病変の原因が食物アレルギーによるものかどうかを鑑別するためには，まずステロイド外用薬で湿疹病変を治療してから，薬を塗らない日に湿疹が消えないなどのステロイドの減量が順調にいかない場合に疑うことになります．もし，その食品（卵の場合が多い）を授乳中の母親や本人が除去すると順調にステロイド外用薬を減量できて再発もしないようならば，食物アレルギーによる湿疹病変だった可能性が高くなります．

（大矢 幸弘）

アレルギー
全年齢

Q154 ダニによって食物アレルギーを引き起こすことがあるのですか？

A ダニ抗原に感作を受けている子どもは多く，食品に含まれているダニ抗原に反応してアナフィラキシーを起こしたお子さんもいます．特に，いったん封を開けた袋にはダニの混入がありうるので，小麦粉からつくったパンやお好み焼きなどの料理を食べるときには要注意です．

関連質問 Q.48 **Key word** ダニアレルギー，小麦，アナフィラキシー，お好み焼き

解説

わが国のほとんどすべての家庭にはダニが生息しています．皮膚に咬みついてかゆみをもたらすマダニと違い，アレルギーの原因となるのは，コナヒョウヒダニやヤケヒョウヒダニです．これは小さいので目には見えません．また，暗い所を好むので，台所の調理台やパントリーなどに潜んでいることがあります．台所には食物が多いので，格好のすみかともいえます．小麦粉の封を切って1回の調理で使い切ってしまえば問題ありませんが，残った小麦粉を，厳重に密閉しないで保管すると，ダニが袋の中に入ってきて増殖します．ダニが小麦粉を食べて排泄した糞はダニの主要抗原です．したがって，開封してから日が経った小麦粉ほど危険性が高まります．次に，その小麦粉で調理した食べ物には，ダニ抗原が大量に含まれている危険性があります．それまで，お好み焼きを食べても何ともなかったのに，突然アナフィラキシーを起こしたというようなケースでは，突然小麦のアレルギーを発症したと考える前に，調理に使った小麦粉の管理がどうなっていたのか調べるとよいでしょう．このような事例は意外に珍しくはなく，「パンケーキ症候群」と呼ばれています．

参考文献

- Takahashi K, et al.：Oral mite anaphylaxis caused by mite-contaminated okonomiyaki/ pancake-mix in Japan：8 case reports and a review of 28 reported cases. Allergol Int 2014；63：51-56

（大矢 幸弘）

アレルギー
全年齢

Q 155 仮性アレルゲンとはどのようなものですか？

A 食物に含まれるたんぱく質以外の化学物質が，本来の食物アレルギーとは異なるメカニズムで，薬理活性作用によりアレルギーと似た症状を引き起こす場合に，仮性アレルゲンとよばれます．食物中のヒスタミン，セロトニン，チラミンなどのほか，食品添加物が仮性アレルゲンになることもあります．

関連質問 Q 141, 144

Key word アレルゲン，仮性アレルゲン，ヒスタミン

解説

アレルギーを引き起こす原因となるたんぱく質をアレルゲンとよびます．仮性アレルゲンとは，食物に含まれるたんぱく質以外の生理活性物質でアレルギーと似たような症状を引き起こすものです．食物中にもともと含まれる仮性アレルゲンの例を表に示します．

ヒスタミン，セロトニン，チラミンなどの血管作動性アミンは血管透過性を亢進させる化学伝達物質で，蕁麻疹，血管性浮腫，気管支喘息などのアレルギー類似症状を起こします．サバなどの青魚では保存・輸送時に温度が上がると，細菌によりもともと含まれるヒスチジンからヒスタミンが大量に産生されることが知られており，魚アレルギーと誤解されることがあります．

また，食品添加物として使用されている着色料，発色剤，漂白剤，着香料，酸化防止剤，保存料などにも，仮性アレルゲンの作用をもっているものがあります．しかしこれらは，すべての人に症状が起こるわけではなく，摂取した量や体調などにより反応が異なります．いずれも食物アレルギーとの鑑別に注意する必要があります．

表　仮性アレルゲンを含む食品の例

仮性アレルゲン	食品
ヒスタミン	ほうれん草，トマト，ナス，チーズ，赤ワイン，セロリ，トウモロコシ，ジャガイモ，タケノコ，えのき，豚肉，牛肉，鶏肉，鮮度の悪い青魚（サバ，カツオ，マグロ，イワシなど）
ヒスチジン	チーズ，マグロ，サバ，カツオ
アセチルコリン	トマト，ピーナッツ，山芋，里芋，蕎麦，筍
セロトニン	トマト，バナナ，パイナップル，キウイ
チラミン	チーズ，アボカド，オレンジ，バナナ，トマト

（成田　雅美）

アレルギー
全年齢

Q156

食物アレルギーでは，原因食物だけを除去すればよいですか？日常生活でほかに気をつけることはありますか？

A

原因食物が医薬品や化粧品などに含まれていることもありますので，食べ物だけでなく日常生活で口にしたり体に触れる製品の原材料にも気をつけましょう．また，アトピー性皮膚炎や喘息がある場合は，日頃から治療をしっかり行い，症状を抑えておくことも大切です．

関連質問 Q 149　　**Key word** 市販薬，インフルエンザワクチン

解説

　感冒薬には鶏卵の成分である塩化リゾチームが含まれていることがありますので，鶏卵アレルギーの場合は市販の風邪薬を安易に使用しないほうが無難です．下痢止めには，牛乳成分であるタンニン酸アルブミンが含まれる薬もあります．整腸剤には牛乳から精製した乳酸菌製剤もあります．喘息の治療に使う吸入ステロイド薬に牛乳から精製した乳糖が含まれている製品もありますので，喘息を合併している牛乳アレルギー患者への処方には留意したほうがよいでしょう．ほとんどのワクチンは食物アレルギーがあっても受けられますが，インフルエンザワクチンは発育鶏卵でウイルスを増殖させるので数 ng/mL 程度の鶏卵成分が混入する可能性があります（Q149参照）．このような微量でアレルギー反応が起こることは極めてまれですが，心配な場合はワクチン液による皮内反応を行う手もあります．注射薬のソル・メドロール静注用 40 mg®（メチルプレドニゾロン）には乳糖が安定剤として含まれているので，静脈注射によりアナフィラキシーを起こした例もあります．また，う蝕（むし歯）の予防効果をうたっているリカルデントの入ったガムには牛乳由来の成分が入っていますので，牛乳アレルギーの場合は避けたほうがよいです．

　アトピー性皮膚炎や気管支喘息を合併している患者には，それらの疾患の治療を徹底して症状をコントロールしておくほうが，食物アレルギーの予後にもよい影響を与えることを伝えておいたほうがよいでしょう．

参考文献

- 海老澤元宏，他（監修），日本小児アレルギー学会食物アレルギー委員会（作成）：食物アレルギーハンドブック 2018〜子どもの食に関わる方々へ．協和企画，2018
- Fukuie T, et al.: Proactive treatment appears to decrease serum immunoglobulin-E levels in patients with severe atopic dermatitis. Br J Dermatol 2010；163：1127-1129

（大矢　幸弘）

アレルギー
全年齢

Q 157
除去食品を誤って食べてしまった場合は，どうすればよいですか？

A
除去食品を食べた場合の対応は個々の症例により異なりますが，最も大切なことは事故を想定して「予め準備する」ことです．症状出現時に使用する薬剤をあらかじめ医師と確認するとともに，マニュアルや個別の緊急時のアクションプランを作成し，きちんと対応できるように日頃から準備しましょう．

関連質問 Q 151

Key word アドレナリン自己注射薬（エピペン®），ヒスタミン H_1 受容体拮抗薬，マニュアル，アクションプラン

解説

食物アレルギーの症状が誘発された場合，症状を把握しその症状に応じてアドレナリン自己注射薬（エピペン®）の投与やヒスタミン H_1 受容体拮抗薬の内服などを行う必要があります．緊急時の対応で最も重要なことは，重篤な症状を見逃さず可能なプレホスピタルケアを実施して早急に医療機関を受診することです．

しかし，医療従事者でない保護者や教職員にとって，緊急時に適切に対応することは容易ではないでしょう．

慌てず対応できるように日常からシミュレーションを行っておくことが大切です．緊急時の対応を具体的でわかりやすくまとめたアクションプランやマニュアル（「食物アレルギー緊急時対応マニュアル」など）は適切な行動をとる一助となりますので，症状誘発時に使用する薬剤とともに準備しておくとよいでしょう．

参考文献
・東京都アレルギー疾患対策検討委員会（監修）：食物アレルギー緊急時対応マニュアル．（https://www.fukushihoken.metro.tokyo.lg.jp/allergy/pdf/zenbun1.pdf）2022 年 9 月 30 日閲覧

（吉田 幸一）

アレルギー
全年齢

Q158
焼いたり茹でたりなど，調理法で抗原性が変わる食品はありますか？

A
アレルギーの原因たんぱく質の性質によっては，加熱など調理法により低アレルゲン化が可能な食品があります．ただし原因食品のどのたんぱく質に反応しているかによって異なるため，必ず医師に確認してください．

関連質問 Q.150

🔍 **Key word** 低アレルゲン化，アレルゲン

解説

食物アレルギーは，原因食物のたんぱく質に対し免疫が過剰に反応することで起こります．たんぱく質は多数のアミノ酸が鎖状に重合したものであり，それがさらに螺旋状，シート状に折りたたまれ，特定の立体構造をとっています．アレルギー反応はこのたんぱく質の特定の部位（エピトープ）を免疫細胞が認識し特異的な免疫グロブリン（Ig）E抗体をつくってしまうことで起こる反応で，このエピトープを含むたんぱく質分子をアレルゲンコンポーネントとよびます．エピトープが分解されたりして構造変化すると，IgE抗体が結合しにくくなり，アレルギー反応は減弱します．これを食品の低アレルゲン化とよびます．アレルギー用ミルクは，まさにこの原理を利用しており，牛乳のたんぱく質を加水分解することで低アレルゲン化した商品です[1]．

低アレルゲン化，すなわち，たんぱく質の変性がどのように起こるかは，そのたんぱく質の性質によります．熱によって変性するものもあれば，熱には耐性があり発酵によって変性するものもあります．焼いたり茹でたりといった加熱でアレルゲン化できる食品の代表は鶏卵です．一方，牛乳，小麦アレルギーは熱では変性しないたんぱく質に反応することが多いので，加熱をした食品でも症状が出現します．ただし，一口に鶏卵アレルギーといっても鶏卵に含まれる複数のたんぱく質のうち，どれに反応するかは個々で異なりますし，同じ鶏卵でもたんぱく質ごとに性質も異なります．

近年コンポーネントごとの特異的IgE抗体を測定することで，アレルゲンのより詳細な絞り込みが可能になってきましたが，まだ十分ではありません．子どもが，原因食物のどのコンポーネントにアレルギー反応を起こしているのか，そのコンポーネントの性質から調理による低アレルゲン化が可能かは，食物アレルギーの重症度に応じて個々に専門医と相談し指示を仰いでください．

📖 文献
1) 海老澤元宏，他（監修），日本小児アレルギー学会食物アレルギー委員会（作成）：食物アレルギー診療ガイドライン2021．協和企画，2021

（森田 久美子）

アレルギー
全年齢

Q.159 原因と思われる食品の摂取可能量はどのように決めますか？

A 通常は食物経口負荷試験を行って摂取可能量を設定します．誤食による症状誘発歴を参考にする場合もあります．

関連質問 Q.163

Key word 耐性獲得，食物経口負荷試験，閾値

解説

症状から食物アレルギーが疑われた場合，血液検査や皮膚検査で原因食品の絞り込みを行ったうえで確定診断のための食物経口負荷試験(oral food challenge test：OFC，以下，負荷試験)を行います[1]．負荷試験の実施方法は施設によって異なり，外来で行う場合もあれば入院で行う場合もありますが，通常は目標量を単回または分割して摂取し，アレルギー症状が誘発されるかを判断します．負荷試験が陽性だった場合は食物アレルギーとして原因食物の除去を指示することもありますが，安全摂取可能量が確認できた場合は，その範囲内での摂取をすすめる場合もあります．

負荷試験は乳児を含めた小児から成人まですべての年齢で実施できます．中でも乳児期は自然に耐性を獲得する可能性がある時期です．不必要な除去を継続してしまわないように，初回の誘発症状の重症度や途中の誤食に伴う症状誘発から推察される症状誘発閾値量，抗原特異的IgE抗体検査などの血液検査を参考にしつつ，半年〜1年程度を目安に負荷試験で安全摂取可能量の再評価を行う必要があります．生活の中でのイベント(入園や入学など)に合わせ症状誘発リスク評価のために負荷試験を計画することもあります．

文献
1) 海老澤元宏，他(監修)，日本小児アレルギー学会食物アレルギー委員会(作成)：食物アレルギー診療ガイドライン 2021．協和企画，2021

(森田 久美子)

アレルギー
全年齢

Q160
原因食品によって耐性獲得は異なりますか？ また，積極的に耐性を獲得する方法はありますか？

A
卵，牛乳，小麦，大豆は自然に耐性を獲得する確率が高く，乳児期発症の場合は幼児期にかけて耐性を獲得することが多いです．一方，ピーナッツ，ナッツ類，魚類，甲殻類は耐性獲得率が低い食品です．最終的に食物負荷試験を行い，耐性を獲得したか確認します．

関連質問 Q163　　**Key word** 耐性獲得，免疫寛容

解説

食物アレルギーだった食品を制限なく食べられるようになることを「耐性を獲得した」と表現します．乳児期に発症した食物アレルギーは幼児期にかけて自然に耐性を獲得することが多く（自然耐性獲得），例えば鶏卵アレルギーでは，3歳までに30％，5歳までに59％，6歳までに73％が自然に耐性を獲得するという報告があります[1]．

しかし，食品によって自然耐性の獲得率は異なり，また個人差もあります．耐性獲得には消化機能や腸管粘膜バリア機能の発達や，免疫寛容機構（アレルギー反応が起こらないようにコントロールするシステム，制御性T細胞などが関与）の発達が重要であり，これらの組み合わせによって耐性獲得時期や獲得率が変わります．

近年，早期の自然耐性獲得が期待できない症例に対し，事前に症状誘発閾値（アレルギー症状が誘発される量の限度）を食物経口負荷試験で確認した後，専門医の指導のもと計画的に規定量のアレルギー食品の経口摂取を継続し症状がでない状態を維持させ，最終的には耐性獲得を目指す経口免疫療法の研究が行われており，有効であるという報告がでてきています．しかし，途中で強いアレルギー症状を誘発するリスクがあり，現時点では専門施設で研究として限定的に実施されています[2]．

文献
1) Ohtani K, et al.：Natural history of immediate-type hen's egg allergy in Japanese children. Allergol Int 2016；65：153-157
2) 海老澤元宏，他（監修），日本小児アレルギー学会食物アレルギー委員会（作成）：食物アレルギー診療ガイドライン2021．協和企画，2021

（森田　久美子）

アレルギー
全年齢

Q 161

牛乳アレルギーでは，乳酸カルシウムやカゼイン，乳化剤，乳糖なども除去する必要がありますか？ 卵アレルギーの場合，卵殻カルシウムはどうですか？

A

アレルゲン表示の意味を理解し，除去の必要がないものと，アレルゲンが関連するものとを判別することが必要です．

関連質問 Q.44

🔎 **Key word**　食品表示，たんぱく質，交差反応

解説

　牛乳に関連した紛らわしい食品表示として，乳化剤・乳酸カルシウム・乳酸菌・乳糖などがあります．

　乳化剤は，水と油を混ぜて白濁させるための添加物です．大豆や卵黄からつくられることが多く，乳化剤という言葉に牛乳との関連はありません．乳酸カルシウムも，砂糖大根などからつくる乳酸と，酸化カルシウムを中和反応させてつくられたものであり，牛乳との関連はありません．乳酸菌は炭水化物を分解して乳酸をつくる微生物の総称で，菌自体に乳タンパクとの関連はありません．ただし，「乳酸菌飲料」は乳たんぱくを含むため，牛乳アレルギー患者では，重症度によっては除去の対象となります．乳糖は牛乳を原材料として精製されており，1gあたり数μgの乳たんぱくを含みます[1]．ほとんどの牛乳アレルギー患者では，乳糖の摂取で症状を認めることはありませんが，極微量の乳たんぱくでも症状を認める患者では注意を要します．

　牛肉と牛乳には，血液成分である血清アルブミンが共通に含まれます．加熱によりアレルゲン活性が失われるため，加熱調理した牛肉の摂取が問題となることはほとんどありません．

　カゼインやホエイ（乳清）は乳たんぱくの一部であり，牛乳アレルギー児では除去が必要です．この言葉だけでは判別できないことから，必ず「カゼイン（乳由来）」などと追記されています．

　鶏卵アレルギーにおける卵殻カルシウムは，卵白に対して強いアレルギー症状を認めた患者でも摂取可能であり，焼成・未焼成ともに除去の必要はありません[2]．また，魚卵と鶏卵の間には交差抗原性がなく，独立したアレルゲンと考えられます．同様に鶏肉も卵白とは交差反応しないため，加熱調理すれば，アレルギー反応を示すことは極めてまれです[3]．

📖 文献

1) 消費者庁：加工食品の食物アレルギーハンドブック．2021．(https://www.caa.go.jp/policies/policy/food_labeling/food_sanitation/allergy/) 2022年5月26日閲覧
2) 海老澤元宏，他：卵殻未焼成カルシウムのアレルゲン性について．アレルギー 2005；54：471-477
3) 杉浦至郎：食物アレルギーの臨床（各論）．伊藤浩明（監修），認定NPO法人 アレルギー支援ネットワーク（作成）：新・食物アレルギーの基礎と対応（アレルギー大学テキスト）第2版．みらい，2020；17-33

（松尾 嘉人，伊藤 浩明）

アレルギー
全年齢

Q 162
酸化した油はアレルギーに影響すると聞きました．油の再使用やコンタミネーションなど，家庭での油の使用法はどうすればよいですか？

A
一般に，劣化した油は体に悪いとされていますが，アレルギー症状の悪化との関連については一定した見解がありません．

関連質問 Q 150

Key word 過酸化脂質，n-3系多価不飽和脂肪酸，n-6系多価不飽和脂肪酸

解説

油が劣化する反応には，自動酸化，熱酸化，加水分解による遊離脂肪酸の生成などがあります．自動酸化は，油脂を空気中に放置して，構成成分中の不飽和脂肪酸が酸素と反応することです．不飽和脂肪酸が酸化したものを過酸化脂質といい，蓄積することで細胞障害性をもち，動脈硬化や糖尿病，がんなどにも影響するといわれています．熱酸化は，油脂を高温で加熱した場合の反応のことで，自動酸化に比べて酸化の進行が早いとされています．脂質の主成分であるトリグリセリドは，水分を含む状態で加熱や長期保存されると，一部が加水分解され遊離脂肪酸に変化します．この遊離脂肪酸が脂質のpHを低下させ，劣化の原因となります．このように油はさまざまな要因で酸化が進むため，頻回の再使用は勧められません．

劣化した油は，慢性の湿疹に対して悪化因子となる可能性はあります．一部の研究では，過酸化脂質の代謝産物が，肥満細胞からのヒスタミン遊離を促進したと報告しており，アレルギー反応への関与も否定はできません．しかし動物実験レベルでは，n-3系多価不飽和脂肪酸（ドコサヘキサエン酸など）の摂取で過酸化脂質が増えても，解毒・排泄作用が働き有害作用が起こらないことも判明しています．

n-6系多価不飽和脂肪酸（リノール酸など）はアレルギー性炎症を促進し，n-3系多価不飽和脂肪酸はアレルギー性炎症を抑制します．しかし，n-3系多価不飽和脂肪酸は，n-6系多価不飽和脂肪酸と比べて不飽和結合が多いため，酸化を受けやすい性質があります．このため，光や高温を避けて保存し，できるだけ再利用をしない注意が必要です．

アレルゲンを調理した後に同じ調理器具でアレルギー対応食をつくった場合に，その食事を摂取してもよいかどうかは患者の重症度により異なります．微量のアレルゲン摂取でも強い症状を呈する場合は除去が必要ですが，経口負荷試や，日々の自宅での摂取で数グラム程度のアレルゲンなら摂取可能なことが確認できている場合は必ずしも除去は必要ありません．

（松尾 嘉人，伊藤 浩明）

アレルギー
全年齢

Q163
耐性を獲得したのか，減感作状態なのかは判別できますか？

A
耐性獲得と減感作状態とを明確に判別する検査はありません．日常生活のさまざまな場面での確認が必要です．

関連質問 Q. 96, 159

Key word 耐性獲得，減感作状態，経口免疫療法

解説

耐性獲得とは，原因食物の摂取状況によらず，症状の誘発が完全に消失した状態のことです．減感作状態とは，原因食物を継続的に摂取することで反応閾値が上昇し，一定量を症状なく摂取可能な状態のことです．また，摂取を一定期間中止した後に再開しても，症状の誘発がない状態を持続的無反応と表現します．

経口免疫療法により，減感作または持続的無反応に至っても，運動や疲労，体調の悪化などで症状が誘発されることがあります．当科では，経口免疫療法で目標量のアレルゲンが摂取可能となった患者に運動負荷試験を施行しています．しかし，運動誘発試験が陰性であっても，必ずしも日常生活の安全性は保証できません．このため，自宅でも摂取後の運動を複数回確認していただいています．

経口免疫療法の作用機序として，減感作状態では，アレルゲン刺激による肥満細胞や好塩基球の活性化が抑制され，ヒスタミン遊離率が低下すると考えられています．しかし，肥満細胞は脱感作によるヒスタミン遊離の抑制から5日間で完全に回復するとも報告されています[1]．持続的無反応状態では，制御性T細胞・B細胞の誘導や，アレルゲン特異的IgG4抗体の誘導が機序として重要とされています．この場合も，加齢・薬剤による制御性T細胞の減弱・過量のアレルゲン曝露などで症状を誘発する可能性はあることに留意が必要です[1]．これらの機序が強く働いている間は，本当の耐性獲得には至っていない時期と考えられます．

定義上，経口免疫療法の究極的な目標は耐性獲得を目指すこととされていますが，耐性獲得と減感作状態とを明確に判別する方法はありません．日常生活のさまざまな場面でアレルギー症状が誘発されないことを，時間をかけて確認する必要があります．しかし，大切なのは「耐性獲得を確認すること」ではなく，日常の食事に自然な頻度や形で卵や小麦などを取り入れられた状態になることとも考えています．

文献
1) 海老澤元宏，他(監修)，日本小児アレルギー学会食物アレルギー委員会(作成)：食物アレルギーガイドライン2021．共和企画，2021：134-136

(松尾 嘉人，伊藤 浩明)

アレルギー
全年齢

Q164
豆腐は大丈夫なのに納豆を食べるとアナフィラキシーを起こすことがあるのですか？

A
大豆そのものの摂取ではアレルギー症状がないのに，納豆を摂取すると遅発型アレルギー症状が起こるという納豆アレルギーがあります．納豆の粘稠（ねんちゅう）成分であるポリガンマグルタミン酸に対するアレルギーであることが分かっています．

関連質問 Q.147, 156

Key word 納豆アレルギー，クラゲ刺傷，ポリガンマグルタミン酸

解説

　大豆は日本人の食生活に根付いており，豆腐・豆乳・納豆・味噌・醤油などさまざまな加工がなされます．そして，納豆は枯草菌の一種を利用し発酵させて作る保存食の一種です．一般的に納豆のアレルゲン性は，大豆そのものよりもアレルゲン性が低下しており，大豆アレルギーがあっても摂取が可能性ある場合も少なくありません．

　逆に，大豆そのものの摂取ではアレルギー症状がないのに，納豆を摂取して5時間から半日後にアレルギー症状が起こるという納豆アレルギーが報告されています．一般的な即時型アレルギーは，通常30分から2時間以内に起こるのに対し，遅発型，つまりゆっくりとアレルギー症状が出現します．納豆アレルギーは，納豆の粘稠成分であるポリガンマグルタミン酸に対するアレルギーであり，ポリガンマグルタミン酸が腸管からゆっくり吸収されるためにアレルギー症状も遅発型になると考えられています[1]．

　納豆アレルギーは20代から50代の男性に多いことがわかっています．そして，ほぼ全員で蕁麻疹や呼吸困難といったアナフィラキシーを起こし，サーフィンなどのマリンスポーツ歴がある人に多いという報告があります．マリンスポーツ歴の頻度が高い理由として，よりクラゲなどに刺される可能性が高くなり，クラゲに刺されるとポリガンマグルタミン酸に感作されやすくなるからと考えられています[2]．

　なお，ポリガンマグルタミン酸は食品の保存剤・増粘剤・旨味成分，化粧品，医薬品などにも使われます．成分表示は統一されておらず，ポリガンマグルタミン酸，ポリグルタミン酸，γ-PGA，納豆菌ガムなどと表記されており，原材料表記に注意が必要です[3]．

文献

1) Inomata N, et al.：Surfing as a risk factor for sensitization to poly（γ-glutamic acid）in fermented soybeans, natto, allergy. Allergology International 2018；67：341-346
2) Inomata N, et al.：Involvement of poly（γ-glutamic acid）as an allergen in late-onset anaphylaxis due to fermented soybeans（natto）. J Dermatol 2012；39：409-412
3) 猪又直子：食物アレルギー4 経皮感作と食物アレルギー．皮膚アレルギーフロンティア 2020；18：85-90

（堀向 健太）

アレルギー
全年齢

Q165 小さい頃は牛肉を食べられたのに，大きくなってから牛肉アレルギーになることがあるのですか？

A 小さい頃は牛肉を食べられても，大きくなってから牛肉アレルギーになることはあります．マダニに噛まれた経験があったり，抗悪性腫瘍薬のセツキシマブアレルギーがあると交差反応でアレルギー症状を呈することがあります．

関連質問 Q.166

Key word α-Gal，マダニ，セツキシマブ，カレイ魚卵

解説

牛肉アレルギーの主要な原因抗原エピトープは，糖鎖 galactose-α-1, 3-galactose（α-Gal）です．牛肉アレルギーの特徴として，アレルギー症状の多くが牛肉摂取後3時間以上経過してから遅れてでてきます．

マダニ唾液腺中にα-Gal糖鎖の存在を証明し，牛肉アレルギー患者の血清中IgEがマダニ唾液腺のα-Gal含有蛋白質に結合することが証明されたことから，これらの一連のアレルギー（α-Gal syndrome）の感作原因が，マダニに噛まれたことによるものと報告されました．α-Galの交差反応で牛肉アレルギー症状がでます．

牛肉以外でもα-Galを有する哺乳類肉（豚肉，猪肉，鯨肉など）でアレルギーを生じうるのはもちろんですが，交差反応のために抗悪性腫瘍薬のセツキシマブやカレイ魚卵でもアレルギーを生じえます．セツキシマブはIgG1サブクラスのヒト／マウスキメラ型モノクローナル抗体製剤で，マウス由来のα-Gal糖鎖が存在するために交差反応が生じます．

牛肉アレルギーが疑われた場合は，アレルギー症状が遅れてでてきたか確認します．これまでにマダニに噛まれたことがないかなどこれまでの経過についても確認します．カレイの魚卵にも交差反応をしてアレルギーを生じることもあるので，カレイ魚卵についても注意します．また，ペットのアレルゲンと交差反応が起こり，牛肉など食肉アレルギー（アルブミンの交差反応）になることもあるので（詳細はQ166を参照）ペットの飼育歴も確認しましょう．この場合は，アレルギー症状が早くでてきます．疑わしい場合はアレルギー専門医に相談しましょう．

参考文献
・千貫祐子：galactose-α-1, 3-galactose（α-gal）．アレルギー 2018；67：72-77

（山本 貴和子）

アレルギー
全年齢

Q166
ペットを飼っていると，肉のアレルギーになることがあるのですか？

A
ペットと肉の組み合わせによってはアレルギーを発症することがあります．

関連質問 Q 165

🔍 **Key word** Pork-cat syndrome，アルブミン，食肉，ペット，交差反応

解説

Pork-cat syndrome（豚肉 - 猫症候群）は肉アレルギーの一種で，原因のアレルゲンは豚の血清アルブミンです．類似の構造を有するネコの血清アルブミンに感作された後，交差反応によって豚肉摂取時にアレルギー症状を呈します．遅発性に発症する糖鎖 α-Gal が原因の獣肉アレルギーとは異なり，一般的に豚肉摂取 30〜45 分後に症状が出現します[1]．実際は，豚肉とネコが交差するだけではなく，ネコ以外のイヌなどのペットと牛肉や馬肉など多くの食肉に対しても交差反応を起こしてアレルギー症状を生じることも明らかになっています．ペットや家畜動物のアルブミンは構造が似ているので，交差反応はいろいろな組み合わせがありえます．広く理解するためには，ペット動物 - 食肉症候群として理解するのがよいでしょう．ネコなどのペットを飼ってからその後，豚肉を食べてアレルギーを発症したという成人例はよく報告されますが，ネコやイヌの接触が多い 6 歳児が豚肉アレルギーを発症した報告もあり[2]，ペット飼育の流行に伴い，低年齢での発症も増えている可能性があります．アルブミンは加熱でアレルゲンが減弱しますので，食肉を十分に加熱すれば日常生活では支障がないこともあります．

肉アレルギーが疑われたら，動物を飼っているかなど動物曝露歴の確認や，食肉アレルギー症状の確認や加熱の具合で症状が異なるかなどこれまでの経過をしっかり評価する必要があります．そして，ペットや肉に対してアレルギー検査をすすめることになります．アレルギー専門医に相談しましょう．

📖 **参考文献**
1) 千貫祐子：Pork-cat syndrome．臨皮 2017；71（suppl）：16-18
2) 山田早紀，他：ネコとイヌの両者に感作されたと考えられる小児期早期発症の pork-cat syndrome の 1 例．アレルギー 2019；68：1141-1147

（山本 貴和子）

歯 科
全年齢

Q 167
小児歯科専門医はどのようにして探せばよいですか？

A
日本小児歯科学会のウェブサイト（jspd.or.jp/facility_search/）内より検索可能です．または，各歯学部もしくは歯科大学附属病院小児歯科診療科にお問い合わせください．

関連質問 Q 123

Key word 小児歯科，日本小児歯科学会

解説

専門医の資格は，5年以上日本小児歯科学会に所属し，学会が認めた大学の附属病院などの医療機関において5年以上にわたり相当の臨床研修を行い，小児歯科臨床に関する報告を発表し，試験に合格した者に与えられます．資格取得後も，学術大会への出席や発表，学術誌における報告などを行うことが義務付けられています．また，5年ごとの資格更新に向け，日頃から高い臨床レベルの維持を要求されます．なお，ご近所の歯科医院において，小児歯科と標榜されていたとしても，その歯科医院に小児歯科専門医が在院しているかどうかは不明です．ただし，図のマークを掲げている歯科医院は小児歯科専門医が在院しています．

図　日本小児歯科学会専門医のロゴマーク

（髙橋　康男）

歯科
全年齢

Q168

歯や口腔内の外傷の応急処置は，病院に行く前に何をすればよいですか？一般の歯科医院に行ってよいですか？

A

口の中に異物がないかをみて，あれば取り除くか，吸い込ませないよう，布などを痛みのない部分に噛ませるなどの対策をします．また，出血部は布などで止血し，抜け落ちた歯があるときはラップで包むか牛乳に漬け，歯科医院で損傷の全体について診断を受けましょう．

関連質問 Q 103　　**Key word**　歯の外傷，応急処置

解説

　口と歯の外傷においては，出血が多く痛々しい顔貌になることから人目を引きがちですが，緊急度の高い損傷は脳や眼の外傷，口の中に長いものが刺さった場合であり，脳外科や眼科を優先的に受診させます．口腔のみの外傷の場合は，異物や落ちかけた歯などを呼吸器に落とすことが最も危険です．異物や出血が強い場合は，吸い込みや飲み込みを防ぐために，布などを痛みのない部分で噛ませるなどの対策をします．血液を飲むことは，処置中に嘔吐を生じる原因になるため，避けるようにします．

　歯の外傷で最も重いものは歯が抜けることで，もし歯が抜けた場合は，抜けた歯をできるだけみつけて，ラップやビニールで乾燥しないよう包むか牛乳に漬けて歯科医院にすぐに持参します．特に永久歯はすぐにもとの位置に戻せば，生着させることがかなりの確率で可能だからです．また，歯が欠けたときのかけらももって行くと，歯を治すときに自身の歯を使うことが可能な場合もあります．口と歯の外傷は，受傷直後は痛みのないことも多く，半日後以後に痛みが増強します．受傷時の痛みの強さで判断しないで，歯と歯肉の境から出血したり，歯の一部でも欠けたりひびが入っているのが見える場合や，触って痛い場合は，その日の早いうちに歯科を受診したほうが，痛みを経験せずに食事ができるでしょう．外傷を受けたことを歯科医院に電話で先に知らせてから受診するのが賢明です．壊れた歯を覆い，ぐらぐらになった歯をとめて（固定して）もらうと，通常の食事が可能です．痛みがとれたら，見かけもよく治してもらえます．

　一方，歯の外傷は子どもの歯の成長や，乳歯から永久歯への生え変わりなどに影響することがわかっていますが，正確な予想は困難です．ただし，外傷の合併症は普通1年以内に明瞭になるので，この間，定期的に歯科医院で検査と管理を受けることを勧めます．合併症が見過ごされると，歯を残すことができなくなる場合があるからです．詳しくは日本小児歯科学会専門医や日本外傷歯学会認定医に相談することを勧めます．各学会のホームページでお近くの歯科医師を知ることができます．

文献

・宮新美智世：子どもの歯と口のケガ．言叢社，2017

（宮新　美智世）

歯科
全年齢

Q169 アレルギーがある場合，歯科受診で気をつけることはありますか？

A 初診で歯科を受診する際は必ず問診が行われます．現病歴，既往歴，家族歴など，さまざまなことが質問されます．食べ物，薬などのアレルギーの有無についても，必ず聞かれます．きちんと担当歯科医にお話ください．万が一質問されない場合でも，保護者のほうからお話してください．

関連質問 Q134

Key word 問診，ラテックス，局所麻酔

解説

歯科治療を行うにあたり，口腔内および口腔周囲はさまざまな歯科材料や薬品と接触することになります．事前に理解しておくことで，不測の事態に遭遇する可能性は低くなります．気をつけなければならないものを，以下に示します．

①ラテックスアレルギー（ラテックスグローブ，ラバーダムシート）：経皮的，粘膜的の頻回接触により，感作し，再接触により局所または全身症状を発症します．歯科治療に際し，ノンラテックス製品への変更が必要です．

②金属アレルギー（金属修復物）：Ⅳ型アレルギーに分類され，ニッケル，コバルト，クロムなどを含む金属との接触で発症します．一般にパッチテストで感作している金属イオンを検査します．反応がでた場合，口腔内に金属修復物があれば，速やかに撤去し，コンポジットレジンへの再修復が必要となります．

③リドカインアレルギー（局所麻酔）：歯科用リドカイン塩酸塩（キシロカイン®）にアレルギーがある場合，他麻酔薬への変更，無麻酔もしくは全身麻酔下での歯科治療を検討する必要があります．

④アレルギー喘息（鎮痛薬）：抜歯などの観血処置後，鎮痛薬を投与する場合，アスピリン喘息を有する患児に対しては，非ステロイド性抗炎症薬（酸性 NSAIDs）は禁忌です．

⑤薬物・食物アレルギー：ラテックスアレルギーの可能性や投薬についても注意が必要です．また，歯科用薬剤に対してもアレルギー反応が起こる可能性があります．

参考文献
- 古株彰一郎：30章 アレルギー．依田哲也（監修，編）：すぐわかるカード式 歯科治療に必須の全身リスク診断と対応．医歯薬出版，2012；160-166

（髙橋 康男）

歯科
全年齢

Q170 歯の質や歯並びは家族に遺伝しますか？

A 歯の質については，すべての歯に石灰化不全が生じる場合は，遺伝的な要因が考えられます．一方で，部分的な歯の質の変化は，妊娠期間中や出生後の二次的な影響が考えられます．歯並びは，両親のいずれかに類似する傾向もみられ，遺伝的な要素は完全に否定できません．

関連質問 Q124　　**Key word** 歯の質，歯並び，遺伝

解説

歯の質に関しては，質の異常がすべての歯に認められるエナメル質形成不全症や象牙質形成不全症などは，原因遺伝子も同定され遺伝的な傾向がみられます．局所的な歯の異常に関しては，Q124でも紹介したように，乳歯の外傷やう蝕に起因したものや，母体や児自身の栄養状態，さらには全身的な疾患によっても生じることがあり，必ずしも遺伝的な傾向があるとはいえません．「歯の質が悪く，虫歯になりやすい」といった，あたかも遺伝的な傾向を示唆するような話を聞くこともあります．う蝕になりやすい場合には，歯磨きの状況や食生活習慣など，同一家族であれば類似した傾向を示すこともあり，このような場合には遺伝ではなく生活環境や習慣に起因するものと考えられます．

歯並びに関しては，顔面の形態と同様に家族内で類似する傾向があります．両親が受け口（反対咬合）などであった場合には，その子どもが将来受け口になる可能性も否定できませんので，顎顔面の成長を十分に観察しながら対応していきます．一方で，歯並びは必ずしも遺伝的な傾向だけで決まるものではなく，指しゃぶりや爪噛みなどの習慣に起因するものや，多数の乳歯う蝕によりその後生えてくる永久歯の萌出の異常を生じることもあり，その結果歯並びが悪くなることがあります．このような習癖や食生活における嗜好（あるいはそれに起因したう蝕）も家族内で類似することがありますので，注意深く状況を把握することで，歯並びの異常を見極める必要があります．

（福本　敏）

歯科
全年齢

Q171 過剰歯とはどのようなものですか？ 手術が必要ですか？

A 過剰歯とは，余分な歯のことです．上顎の前歯付近に多くみられます．過剰歯のせいで永久歯が正常に生えてくることができない場合や，過剰歯が上下逆さまに顎の骨の中に埋まっている場合には，手術により取り除く必要があります．

関連質問 Q 177

Key word 上顎の前歯付近，永久歯の邪魔

解説

歯の発育初期に過剰な歯が形成された場合に過剰歯が生じ，図に示すように分類されます．上顎の前歯の裏側付近に多くみられますが，奥歯付近にみられることもあります．症例のうち，約3分の2において1本，残りの3分の1において複数の過剰歯がみられます．過剰歯の形態は，正規の永久歯に比べて一般的に小さく，円錐形のもの，結節状のものなどさまざまですが，正規の永久歯に似た形のものも存在します[1]．

治療方針は，手術による抜歯です．過剰歯が顎の骨の深い位置に埋まっている場合は，全身麻酔下で抜歯することもあります．永久歯が正しい時期に正しい位置に生えてくるのを邪魔している場合や，過剰歯が上下逆さまに顎の骨に埋まっていて放置すると顎の骨の奥深く入りこんでいってしまう恐れがある場合には，早急な抜歯を要することもありますが，基本的には永久歯への影響が最も少ないタイミングを見計らって抜歯します．術前には抜歯中に永久歯に傷害を与えないよう，過剰歯の状態（形態，3次元的位置，永久歯との位置関係，永久歯の根の発育状態など）をX線や必要に応じてCTを用いて評価する必要があります[1]．

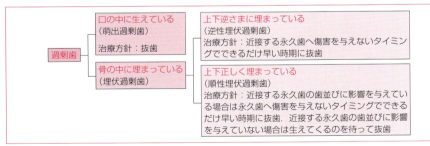

図 過剰歯の分類と治療方針

（前田隆秀，他：第3章 頭蓋顔面，歯列・咬合，歯の発育．小児の口腔科学 第3版．学建書院，2015；96 より作成）

文献

1) 前田隆秀，他：第3章 頭蓋顔面，歯列・咬合，歯の発育．小児の口腔科学 第3版．学建書院，2015；96

（渡辺 幸嗣）

歯科
全年齢

Q172 口内炎ができたとき，普段の食事や生活で気をつけることは何ですか？

A 口内炎のときには，刺激物の摂取を避け，口の中を清潔にすることが大切です．また，口内炎の原因となった全身的な病気やウイルス感染に対する根本的な治療とともに，睡眠と栄養をしっかりとって体力を回復することが大切です．

関連質問 Q 104

Key word 原因疾患，安静，水分・栄養補給，清潔

解説

口の中の表面（口腔粘膜）に比較的広範囲に炎症がみられる場合を口内炎といいます．炎症がみられる場所によって，舌炎，口唇炎，歯肉炎などとよばれます．また，炎症の種類によってカタル性口内炎，アフタ性口内炎，潰瘍性口内炎，壊疽性口内炎，水疱性口内炎などに分類されます[1]．

口内炎は，全身的な病気の症状の1つとして現れる場合や，ウイルス感染によって現れる場合が多く，疼痛（痛み），高熱，全身倦怠，口臭，リンパ節腫脹（腫れ）を伴うこともあります[1]．口内炎になってしまったときには，刺激物の摂取を避け，口の中を清潔に保ち，水分，栄養，睡眠をしっかりとる必要があります（表）．また，軟膏を塗って，炎症が生じている部位に刺激が伝わらないように粘膜表面を保護することも効果的です．必要に応じて歯科医院で軟膏や含嗽薬（うがい薬）を処方してもらうことを勧めます．同時に，口内炎の原因となっている全身的な病気や原因ウイルスを特定し，それらに対する根本的な治療も必要となります．

表 口内炎のときに気をつけること

根本的対応	口内炎の原因となっている病気や感染に対する，根本的な治療を受ける
食事	刺激物の摂取を避ける バランスのとれた栄養のある食事をとる 水分を十分とる
お口の環境	歯磨きや含嗽薬によるブクブクうがいで口の中を清潔に保つ 軟膏を塗布して口内炎が生じている部位の粘膜表面を保護する
生活全般	睡眠をしっかりとる

文献

1) 黒須一夫，他（編）：13章 小児の外科的処置．現代小児歯科学 基礎と臨床 改訂第5版．医歯薬出版，1994；462-463

（渡辺 幸嗣）

歯 科
全年齢

Q.173
自閉症の子ですが反芻を行います．どうやったらやめさせられますか？

A
完全にやめさせることは難しいですが，少なくさせることはできそうです．食事時間を長くしてゆっくり食べさせることで反芻の回数が少なくなることが実験の結果明らかになっています．

関連質問 Q.100

🔍 **Key word** 反芻，自閉症，酸蝕症，食事時間

解説

　反芻とは牛，羊，キリンなどの草食動物にみられる摂食行動をいいます．ヒトではそのような機能は備わっていませんが，一部のヒトにおいては反芻ができることが知られています．

　反芻を行う障害者数の大規模調査[1]によりますと，全国知的障害者関係施設・事業所名簿 2015 に記載されている全国障害児施設 258 か所，全国障害者施設 1,671 か所にアンケートを行った結果，回収率 789 施設（43.0%），男性 27,661 人，女性 18,277 人，合計 45,938 人中 753 人（1.6%）〈男性 605 名（2.1%），女性 134 名（0.7%）〉に反芻を行っていることが確認されました．自閉症者数に限っての調査では 14% という報告[2]もみられます．

　この反芻の医学的定義については，米国精神医学会の DSM-5 による反芻性障害診断基準（2013）[3]によりますと，「自覚症状を訴えることのできない精神遅滞，広汎性発達障害には臨床的対応が必要となる」と記載されています．反芻をコントロールできる一般の健常者にとっては少なくとも病気としての記述は見当たりませんが，知的障害のある人にとっては，口臭，酸蝕症，歯の咬耗などの対応には特別な配慮が必要になります[1]．反芻を行うことで胃液により口腔内 pH が極度に下降することが認められています[1]．図は反芻者（自閉症 36 歳男性）の口腔内写真を示しています．歯は著しく脱灰（咬耗）しているのがわかります．

　反芻の起こる仕組みは嘔吐のような神経伝達のメカニズムは明らかとなっていません．防止策については薬物療法などの試みはありますが，奏効の報告は皆無です．食後音楽を聞かせる，話しかけをしてかかわりを増やすなどの行動療法的な対応も試みられています．食事時間に着目し，ゆっくり食べさせた場合の効果を調べた結果 5 人の自閉症者を対象に介護者がスプーンで時計を見ながら 1 口ずつ食べ物を与える方法で食事させ，食事にかかる時間を平均 6 分から平均 15.6 分に延長させた場合，反芻の回数が約 6 回から 3 回に減少したことが示されています．

　反芻を行う自閉症児ではゆっくり食事をすることが反芻回数を減らすのに有効と思います．また食後の歯磨きは通常の食後 1 回では不十分で，30 分間隔で 3 回程度は必要なこと，定期的歯科健診も 1 か月に 1 度くらいにするなど，通常とほぼ変わりない生活が保障されるための体制を整えることが必要です．

歯科
全年齢

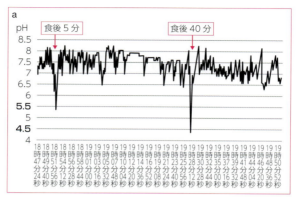

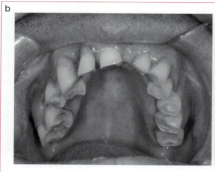 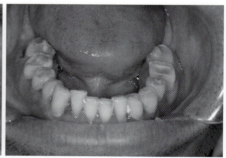

図　反芻者の口腔への影響
a：反芻時の口腔内 pH
b：自閉症者（36 歳男性）の反芻による酸蝕症

文献

1) 渡部　茂, 他：反芻を有する障害者への歯科的対応法の確立. 障歯誌 2018；39：96-102
2) Klein U, et al.：Characteristics of patients with Autistic Disorder（AD）presenting for dental treatment：a survey and chart review. Spec Care Dentist 1999；19：200-207
3) 高橋三郎, 他（監訳）：DSM-5 精神疾患の診断・統計マニュアル. 医学書院, 2014

（渡部　茂）

歯科
全年齢

Q174
食後に行う歯ブラシは直後でしょうか，それとも30分経ってからでしょうか？

A
食後に行う歯ブラシは直後です．一時，食後には歯が脱灰し，すぐ歯ブラシで磨くと脱灰された歯面がはがれてしまうので，唾液で再石灰化される30分後に磨くのがよいという情報が流れましたが，これは文献の解釈を間違えた誤りの情報でした．

関連質問 Q 137, 176

Key word 食後，歯磨き，脱灰

解説

以前，食事すると歯は脱灰され，すぐに歯ブラシで磨くと歯の表面のエナメル質がはがれてしまうので，30分以上経って唾液によって再石灰化されてから歯磨きしましょうという報告がなされました．「脱灰，再石灰化させた軟化象牙質のブラッシングによる摩耗」という論文[1]を誤って解釈したために起こった誤情報でした．

この論文はヒトの象牙質切片を用いた研究でした．象牙質切片を酸性の飲料水（pH2.9）にて90秒間脱灰した後，A：すぐブラッシングする（口腔に入れない），B：10分間口腔に置いた後ブラッシングする．C：同様に20分後．D：同様に30分後．E：同様に60分後．F：ブラッシングしない（コントロール）．これを21日間繰り返した後，歯の磨耗を計測した結果，A，B，CはFと有意な差があり，D，EはFと有意な差は生じなかった．つまり食後30分以内に磨くと歯は薄くなり，30分以上，口腔の中の唾液で再石灰化させれば歯ブラシで磨いても薄くなることはないという結論でした．

この論文は高齢者になると歯肉が退縮し，根部の象牙質が露出する場合があるので，象牙質はエナメル質より酸に弱く，容易に脱灰しやすいことから，注意が必要であるといった内容でした．これを日本人の研究者が，これは大変だ！ 食後のブラッシングには注意が必要だ，という内容で拡散してしまいました．

食中食後は大量の唾液（安静時の約10倍）が分泌されて，そもそも特にエナメル質には脱灰は起こりにくいので心配がないことはすぐに歯科学会を通じて国民に伝達され，「食後30分以降にブラッシングをする」ことは否定されました．

保健所や歯科医師会から発信する幼稚園や小学校の口腔衛生指導では，食後はなるべく早く歯をブラッシングしましょうと指導しています．口腔に入ってきた糖分を口腔内の微生物が取り込んで，酸を産生しないようにという考えです．

文献
1) T. Attin et al.：Brushing Abrasion of Softened and Remineralised Dentin：An in situ Study，Caries Res 2004：38：62-66

（渡部　茂）

歯科
全年齢

Q 175 食べ物の嚥下のタイミングは何で決まるのでしょうか？

A
食塊嚥下のタイミング（嚥下閾）を規定する要因については，従来，食品の粉砕程度，食塊のなめらかさの程度が大きく影響することが報告されていましたが，近年，唾液による食塊水分量も大きく影響していることが明らかとなりました．

関連質問 Q. 100, 128, 129, 139

Key word 咀嚼，嚥下閾，唾液分泌速度

解説

ヒトは食物咀嚼中に，刻々と変化する食塊の性状を総合的に感じとり，その食塊性状が「嚥下してよい」という一定の状態に到達すると嚥下を行います．この嚥下のタイミングのことを Swallowing threshold（嚥下閾）といいます[1]．ヒトの嚥下閾は同じ食物の場合は，変動が少なくきわめて規則的に行われています．でも個人差があることが知られています．

唾液は食物咀嚼に大きくかかわっています．食事中に分泌される平均唾液量は約 4 mL/分で安静時の約 10 倍以上となります[2]．唾液分泌を抑制する硫酸アトロピン（0.5 mg）を服用後に行った咀嚼実験では，一口量咀嚼時間は服用前に比べ有意に延長し，分泌を促進する塩酸ピロカルピン（5 mg）服用後は，服用前に比べ有意に短縮することが示されています[3]．一方嚥下時食塊水分量は両実験の場合とも服用前に比べ有意な変化はみられませんでした[4]．このことから，食塊を嚥下する時期の決定は，従来から報告されている食物の粉砕程度などに加えて，食塊の水分量にも影響されていることが明らかにされました．すなわち，食物咀嚼とは，食物を口に入れた後，その食物を個人の嚥下閾に到達させるための食塊形成機能であり，それは歯の数，歯並び，噛む速度，唾液量などに影響されます．

子どもの食べ方が遅い，早食いなど子どもの咀嚼に関しての相談は色々あります．それらに対応するための基本的なことは，歯列や咬合，噛む回数，一口量，水分（唾液，食事中のお茶や水），の状態がポイントとなると思われます．

文献
1) Kawamura Y, et al. : Studies on masticatory function II. The swallowing threshold of persons with normal occulusion and malocculusion. Med J Osaka Univ 1957；8：241-246
2) Watanabe S, et al. : The effects of different foods and concentrations of citric acid on the flow rate of whole saliva in man. Archs oral Biol 1988；33：1-5
3) 渡部 茂，他：塩酸ピロカルピン固体分散体製剤の唾液分泌効果．歯薬療法 1997；16：131-136
4) 楠本正一郎：食物咀嚼における唾液の影響．明海歯学 1999；28：40-48

（渡部 茂）

歯科
全年齢

Q176 酸っぱい食べ物は歯に悪いのでしょうか？

A 酸は歯の天敵です．唾液のpHが5.5前後より酸性になるとエナメル質の脱灰が始まります．でも唾液を最も分泌させる刺激も酸なので，瞬時に唾液が大量に分泌されます．通常の酸っぱい食べ物でも特に偏った食べ方をしなければ歯に影響を及ぼしません．

関連質問 Q.137

Key word 唾液pH，酸，脱灰，再石灰化

解説

唾液のpHは唾液中の重炭酸塩に最も影響を受けています．重炭酸塩は安静時唾液には微量（1 mmol/L 未満）しか含まれませんが，分泌速度が増加すると濃度を増します（60 mmol/L）．その影響で安静時唾液分泌時（平均0.3 mm/分）のpHは6.5程度（中性）ですが，刺激唾液（3〜4 mL/分）時には8近く（アルカリ性）まで上昇します[1]．

脱灰と再石灰化の仕組みはQ137にも示しましたが，ここでは図1を参考にしてください．脱灰・再石灰化が起こるpHは約pH5.5前後（臨界pH）と報告されています[2]．

100%オレンジ果汁飲料（pH3.8）20 mLで口腔内を刺激後，唾液を継時的に採取して唾液分泌速度とpHを測定した結果を図1，図2に示しました[3,4]．被験者10名中4名の全唾液pHは飲料摂取後，歯の脱灰臨界pH5.4以下まで低下しましたが，30〜60秒区間において4名全員にpH5.4以上への回復が認められました（図2）．

このように唾液は口腔内pHに敏感に依存して分泌され，口腔内環境の恒常性に寄与していることがわかります．ペットボトルのジュースを長時間かけて飲む，ジョギング中常に4〜5個の梅干しを食べる，寝る直前に必ずジュースを飲むなど，想定外の習慣は慎みましょう．

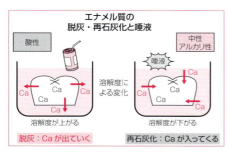

図1 脱灰と再石灰化

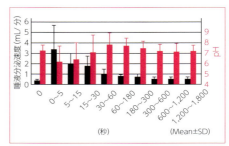

図2 100%オレンジ果汁飲料摂取後の全唾液分泌速度の経時的変化

歯 科
全年齢

📖 文献

1) Dawe C：唾液分泌速度と成分に影響を及ぼす要因．Edgar M, et al.（編集），渡部　茂（監訳），唾液 歯と口腔の健康．原著第3版，医歯薬出版，2008；27-40
2) ten Cate JM, et al.：Influence of fluoride in solution on tooth demineralization, I. Chemical data. Caries Res 1983；17：193-199
3) Takahashi S, et. al.：Suppressive effects of saliva against enamel demineralization caused by acid beverages．Health 2011；3：742-747
4) 渡部　茂：唾液—口腔の健康を支えるメカニズム．クロスメディア・パブリッシング，2022；73-77

（渡部　茂）

歯科
全年齢

Q177
歯並び(叢生)と咀嚼能率はどんな関係がありますか？

A
叢生の場合，①上下の奥歯がカチンと噛んだときに当たる箇所の数が少なく安定が悪い，②咬筋よりも側頭筋が優位となり，咀嚼能率が上がらない，③咀嚼リズムが長く不安定になる，ということから咀嚼能率が悪くなります．

関連質問 Q 98, 100, 101　　**Key word** 噛み合わせの安定，咀嚼筋，咀嚼リズム

解説

叢生とは，歯が数歯にわたり唇や頬の方向または舌の方向に傾いたり移動したりして周囲の歯と重なり合って生えている状態をいいます[1]（図）．

叢生がある場合，叢生が前歯と奥歯のどこにみられたとしても，奥歯の噛み合わせが悪くなるといわれています．カチンと噛んだときに上と下の奥歯が接触する箇所が少なく，接触状態が不安定になるとの報告があります[2]．

咀嚼にかかわる筋として，側頭筋と咬筋があります．側頭筋優位の咀嚼と咬筋優位の咀嚼では，咬筋優位の咀嚼の方が咀嚼能率はよいとされています[3]．叢生がある場合，正常な歯並びの場合と比較して側頭筋優位の咀嚼が多くみられることが報告されており[2]，叢生により咀嚼能率は悪くなると考えられます．

叢生のある者の咀嚼リズム（周期）は，正常な歯並びの者の咀嚼リズムと比べて長いことが報告されています[2]．これは，咀嚼に時間がかかっていることを示唆しており，その原因として，叢生により噛み合わせが悪くなり，噛むことに時間を要していることが考えられます．

以上のことより，叢生により咀嚼能率は悪くなることが考えられます．

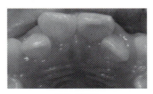

図　叢生
叢生は，一般的には「ガタガタの歯並び」と表現される．

文献
1) 日本小児歯科学会（編）：小児歯科学専門用語集．第2版，医歯薬出版，2020：66
2) 岩崎智憲：正常歯列者と叢生者の咀嚼機能の差についての経年的研究．小児歯誌 1994；32：135-161
3) 長沢 亨，他：咬筋および側頭筋活動と咀嚼能率との関係に関する実験的研究．日補綴歯会誌 1975；18：319-322

（渡辺 幸嗣）

索　引

和　文

あ

愛着形成　20, 21
アクションプラン　175
味付け　45, 121
扱いやすい素材　90
アトピー性皮膚炎　62, 171
アドレナリン注射液　152, 166, 169, 175
アナフィラキシー　59, 158, 169, 170, 172
アルブミン　184
アレルギー専門医　164
アレルギー対応食　108
アレルギー発症予防　12
アレルゲン　107, 173, 176
アレルゲン除去調製粉乳　29
安静　190
安定期　15

い

イオン飲料　38, 99
閾値　177
育児用ミルク　44
異食　93
一汁二菜　125
遺伝　188
──的要因　83
胃内停滞時間　20
色が黒い　118
インフォームド・コンセント　133
インフルエンザワクチン　174

う

う蝕　98, 99, 118, 135
──予防　79, 80, 81
──予防法　81

薄味　95
上顎の前歯付近　189
運動　170
運動習慣　146
運動発達　24

え

永久歯　134
──の邪魔　189
栄養　64, 65, 66, 102, 103, 104, 105, 106
──強化食品　49
──指導　60
──状態　57
──成分表示　122
栄養素の過不足　123
栄養素の組み合わせ　97
栄養素の特徴　53
栄養バランス　168
液体ミルク　25
エピジェネティクス　159
エピペン®　169, 175
嚥下　136
嚥下閾　194
塩分　50, 94

お

応急処置　15, 135, 186
大きさ　45
お好み焼き　172
おしゃぶり　76
おやつ　106

か

解除　109

外傷　116
ガイドライン　13
かかりつけ歯科医　138
鵞口瘡　70
過酸化脂質　180
果汁　38
過剰歯　189
仮性アレルゲン　101, 173
学校給食　147
家庭　107
カフェイン　149
花粉症　150
噛み合わせ　111
　──の安定　197
噛みごたえ　144, 155
噛みつぶし　110
カルシウム　18, 49, 123
　──不足　123
カレイ魚卵　183
考える順序　125
感覚過敏　126
環境づくり　91, 107
感作　160
カンジダ菌　70
患者　108
間食　120
缶詰　50
寒天　96

き

木の実類　58
臼歯　118
吸啜　115
吸啜様の動き　115
牛肉アレルギー　183
牛乳　41, 44, 52, 97, 104, 123

牛乳アレルギー　29, 167
牛乳パック　129
行事　152
共食　148
局所麻酔　187
緊急時対応　152

く

空腹感　91
果物　67
果物アレルギー　150
口呼吸　117, 143, 156
クラゲ刺傷　182
クリーニング　15
グリセミックインデックス　8
くる病　42
訓練箸　124

け

経口補水液　99
経口免疫寛容　163
経口免疫療法　181
継続管理　138
経皮感作　68, 158, 163
鶏卵　58, 103
血糖管理　11
げっぷ　23, 24
下痢　28, 46
原因疾患　190
原因食物　58
減感作状態　181
原産地表示　100

こ

抗アレルギー薬　166
構音障害　34

甲殻類　151
口腔アレルギー症候群　150, 161
口腔筋機能療法　143
口腔の発達　74
高血圧　10
高血糖　11
咬合　84
交差反応　179, 184
口唇閉鎖　71, 113
──不全　143
口内炎　190
口内（口中）調味　147
誤食防止　107, 152
こだわり　126
子どものう蝕　14
粉ミルク　25
こぼし対策　47
小麦　105
小麦粉　172
小麦粘土　129
ゴム乳首　70, 74
米　102
混合歯列期　141
コンタミネーション　48, 108
コンニャク入りゼリー　96

さ

災害時　25
細菌の母子伝播　14
再石灰化　195
魚　65
搾乳　22
サプリメント　7, 100
酸　195
三角食べ　147
酸蝕症　153, 191

酸性 NSAIDs　187
サンドイッチ法　92

し

仕上げ磨き　112
シーラント　118, 154
紫外線曝露　42
子宮内発育遅延　3
嗜好　97
歯垢　117
脂質　51
自食　47
自食の開始　91
歯髄の異常　116
歯髄の壊死　116
児童虐待　93
自動酸化　180
歯肉炎　117
歯肉出血　117
市販薬　174
自閉症　191
自閉スペクトラム症　57, 88, 93, 126
脂肪　46
脂肪分　50
授乳・離乳支援ガイド　63
授乳・離乳の支援ガイド　62
授乳間隔　20, 38
授乳期の栄養　31
消化管アレルギー　27, 69
小窩裂溝　154
症状誘発リスクへの対応　133
上唇小帯　82
小帯切除　34
小児歯科　185
情報共有　130
情報収集　138

初期う蝕　154
除去食　64, 65, 66, 67, 102, 103, 104, 105, 127, 151, 168
食育　121
食塊性状　194
食塊の水分　194
食具の共有　80
食後　193
食後高血糖　8, 11
食事時間　191
食事制限　12, 56
食事の姿勢　156
食生活アドバイス　117
食肉　184
食品添加物　48
食品表示　48, 179
食品表示法　108
食物アレルギー　29, 58, 59, 60, 61, 62, 94, 158, 171
食物アレルギーサインプレート　130, 132
食物アレルギー特定原材料　54
食物アレルゲン　160
食物以外による歯の着色　140
食物依存性運動誘発アナフィラキシー　162, 170
食物過敏反応　101
食物経口負荷試験　109, 165, 177
食物繊維　46, 122
食物咀嚼　194
食物蛋白誘発胃腸症　69
食物による歯の着色　140
食欲　114, 115
初乳　21
自律授乳　20
歯列咬合異常　83
新奇恐怖　126

神経管閉鎖障害　7
人工甘味料　98
新生児・乳児食物蛋白誘発胃腸症　27, 28, 161
新生児歯　33
腎臓負担　52
心理的配慮　107, 152

す

水産練り製品　94
吸い食べ　115
水分・栄養補給　190
水分補給　46
睡眠時　137
スギ　170
スティック状　47
スプーン　90, 95

せ

生活管理指導表　128
生活習慣　56, 120, 146
生活習慣病　3
生活リズム　114, 148
清潔　190
成熟乳（成乳）　21
成人型の嚥下　84
正中離開　82
成長曲線　20
整腸剤　167
生理的嚥下　71
清涼飲料水　153
石灰化　18
石灰化不全　139
セツキシマブ　183
舌小帯短縮症　34
摂食行動　136

ゼラチン　96
先天欠如　83
先天歯　33
先天代謝異常症　26

ダニ　172
食べ方　136
卵アレルギー　167
ためる（貯留）　114
たんぱく質　179
弾力　94

そ

早期離乳食開始　68
叢生　197
即時型アレルギー反応　158
即時型反応　59
咀嚼　136, 142, 144, 155, 194
咀嚼回数　155
咀嚼筋　197
咀嚼能率　34
咀嚼リズム　197
卒乳　79
蕎麦　68

ち

窒息　89, 110
朝食　148
調味料　53
調理実習　129
調理の工夫　51, 95
調理法　121
貯蔵鉄　40, 44

つ

作り置き　55
つわり　2, 17

た

第一乳臼歯　110
体格区分　4
体質　56
体重過多　24
体重増加指導の目安　4
大豆　64
耐性獲得　177, 178, 181
代替食品　97
代替表記　48
胎盤ホルモン（hCG）　2
耐容上限量　40
唾液 pH　195
唾液腺　71
唾液分泌速度　71, 194
立ち歩き　91
脱灰　193, 195
脱灰臨界　195

て

低アレルゲン化　176
低出生体重児　3, 14
低体重　88
適量　123
鉄　44
手づかみ　95
手づかみ食　95
手づかみ食べ　47, 90, 110
鉄欠乏　40
鉄欠乏性貧血　5, 40, 44, 49
鉄の吸収率　5
鉄不足　52
テレビ　92
転倒　89
電動歯ブラシ　77

と

疼痛　135
豆乳　53, 150
糖分　50
特異的免疫グロブリン（Ig）E抗体価　165
特殊ミルク事務局　26
取り分け　55

な

ながら食い　92
納豆アレルギー　182
軟化象牙質　193
軟体類　127

に

握り方の発達　90
肉　66
肉アレルギー　184
肉類　51
二次性乳糖不耐症　28
日常摂取量　109
日本アレルギー学会　164
日本小児歯科学会　185
乳化剤　179
乳歯　72, 134, 135
乳歯う蝕　78
乳児消化管アレルギー　28
乳歯のむし歯　142
乳児肥満　56
乳児ボツリヌス症　38, 52
乳児用調製液状乳　25
乳児用調製粉乳　25
乳糖　179
妊娠悪阻　2
妊娠高血圧症候群　8, 10
妊娠中の食事制限　13

妊娠中の体重増加指導　4
妊娠糖尿病　8, 11

ね

寝返り　39
熱傷　89

は

ハイリスク乳児　63
歯が欠けた　186
歯固め　73
歯が抜けた　186
歯ぎしり　137
ハサップ　48
箸の練習　124
蜂蜜　52
発症予防　29
歯並び　75, 76, 111, 188
歯の痛み　135
歯の外傷　186
歯の外傷後　116
歯の形成不全　118
歯の質　188
歯の脱灰　153
歯の白濁　139
歯の変色　116, 139
歯の萌出　84
母親の食事制限　13
歯ブラシ　77
歯磨き　17, 77, 112, 193
　　──の上達　141
早食い　113, 144
バラ科　170
パンケーキ症候群　172
反芻　191
反応性愛着障害　93

ひ

非 IgE 依存性　69
非 IgE 依存性アレルギー　27, 69
鼻呼吸　113
ヒスタミン　173
ヒスタミン H1 受容体拮抗薬　175
ビタミン A　40
ビタミン D　42
ビタミン剤　100
備蓄食品　25
一口量　110
一口量咀嚼時間　194
皮膚テスト　165
非ヘム鉄　5
肥満　98, 120, 146, 153

ふ

部位　51
フィラグリン遺伝子変異　159, 163
フォーク　90, 95
フォローアップミルク　40, 41, 44, 49
複数の食材　125
豚肉 - 猫症候群　184
フッ化物歯面塗布　81
プテロイルモノグルタミン酸　7
不飽和脂肪酸　180

へ

ペット　184
ベビーフード　49, 54, 55, 61
ベビーフード・ベビー飲料自主規格　54
ヘム鉄　5
ヘモグロビン　40
偏食　92, 98, 126, 142
弁当　107
便秘　46

ほ

萌出時期　134
萌出順序　72, 134
萌出歯肉炎　73
保健機能食品　100
哺乳　34
哺乳(瓶)う蝕　78
母乳　20, 21, 23, 79
母乳育児　20, 21, 22
母乳栄養　24, 32
母乳栄養児　40
母乳代替品　25
母乳中の抗原　32
哺乳反射　38, 39
哺乳瓶　70, 74
母乳分泌　22
ポリガンマグルタミン酸　182

ま

マウスピース　137
前歯での噛みとり　113
マダニ　183
マニュアル　175
丸飲み　113, 142

み

味覚閾値　16
味覚経験　16
ミックス離乳食　61
味蕾　16
ミルク　23
ミルクかす　70

む

むし歯　78, 98

め

メタボリックシンドローム　146
目安量　168
メラニン　57
──色素　57
免疫寛容　178
免疫療法　133

も

毛髪　57

や

夜間授乳　79
野菜　67, 122
野菜嫌い　121
野菜ジュース　122

ゆ

指遊び　124
指しゃぶり　75, 111

よ

葉酸　7
よだれ　71

予防接種

予防接種　167

ら

ラテックス　187
ラバーダムシート　187
卵殻カルシウム　179

り

離乳　24, 39
──開始時期　39
──完了期　84
──後期　84
──初期　84
離乳食　38, 60, 61, 62, 63, 84
離乳中期　84
料理素材　41
旅行　152
リン　18

れ

冷凍母乳　22

わ

和食　147

欧文

B
BMI（body mass index）　4

C
candida albicans　70

D
DOHaD（developmental origins of health and disease）　3, 9, 88, 120

DOHaD仮説　88

F
FDEIA（food-dependent exercise-induced anaphylaxis）　162, 170

G
GI（glycemic index）　8

H

HACCP(Hazard Analysis and Critical Control Point) 48

I

IgE 依存性即時型反応 69
IgE 抗体 158

M

MFT(oral myofunctional therapy) 143

N

n-3 系多価不飽和脂肪酸 12, 180
n-6 系多価不飽和脂肪酸 180

O

OFC(oral food challenge test) 109, 165, 177
ORS(oral rehydration solution) 99

P

pica 93
Pork-cat syndrome 184

Q

QOL 106

R

Riga-Fede 病 33

W

Wernicke 脳症 2

数字・ギリシャ文字

1 日増加量 23
2 型糖尿病 11

α-Gal 183

- **JCOPY** 〈出版者著作権管理機構 委託出版物〉
  本書の無断複写は著作権法上での例外を除き禁じられています．複写される場合は，そのつど事前に，出版者著作権管理機構（電話 03-5244-5088，FAX 03-5244-5089，e-mail：info@jcopy.or.jp）の許諾を得てください．

- 本書を無断で複製（複写・スキャン・デジタルデータ化を含みます）する行為は，著作権法上での限られた例外（「私的使用のための複製」など）を除き禁じられています．大学・病院・企業などにおいて内部的に業務上使用する目的で上記行為を行うことも，私的使用には該当せず違法です．また，私的使用のためであっても，代行業者等の第三者に依頼して上記行為を行うことは違法です．

小児科外来や乳幼児健診で使える 食と栄養相談 Q&A
改訂第2版   ISBN978-4-7878-2583-4

2022 年 12 月 31 日　改訂第 2 版第 1 刷発行

2016 年 5 月 16 日　初版第 1 刷発行
2018 年 5 月 18 日　初版第 2 刷発行
2020 年 4 月 16 日　初版第 3 刷発行

監 修 者	平岩幹男
編 集 者	大矢幸弘／堤ちはる／渡部 茂
発 行 者	藤実彰一
発 行 所	株式会社 診断と治療社
	〒100-0014　東京都千代田区永田町 2-14-2　山王グランドビル 4 階
	TEL：03-3580-2750（編集）　03-3580-2770（営業）
	FAX：03-3580-2776
	E-mail：hen@shindan.co.jp（編集）
	eigyobu@shindan.co.jp（営業）
	URL：http://www.shindan.co.jp/
ジャケットデザイン	長谷川真由美
本文イラスト	松永えりか
印刷・製本	広研印刷 株式会社

© 診断と治療社，2022．Printed in Japan．　　　　　　　　　　　　　　　　　　　　［検印省略］
乱丁・落丁の場合はお取り替えいたします．